VICTORY

DYNAMIC COMMERCIAL SPACE
The total solution expert

活态商务空间
整体方案解决专家

活态空间　愉悦办公
Dynamic space　Enjoy smart work

百利提供:屏风工作站系统·板式桌组系统·实木桌组系统·高隔间系统·商务座椅系统·商务沙发系统·商务钢柜系统解决方案

VICTORY
百利集团|中国|有限公司
VICTORY OFFICE SYSTEM HOLDING (CHINA) LIMITED

百利集团工业园
地址: 广州市从化市太平镇经济开发区福从路19号
总机: 020-37922888 传真: 020-37922001 邮编: 510990

Victory Group's Industrial Park
Add: No. 19, Fucong Road, Economic Development Zone,
Taiping Town, Conghua City, Guangzhou
TEL: 0086-20-37922888　FAX: 0086-20-37922001
Post code: 510990

AFFORDABLE TREASURE
买得起的国宝

赛德斯邦木化玉瓷砖·木之纹理·石之质感·玉之温润

赛德斯邦陶瓷运用原创3D真彩全息数码立体喷墨印刷技术、双频立体柔抛技术和独创熔石技术
使木化玉瓷砖高逼真度的还原了木化玉的纹理，从内到外都拥有木化玉的精气神。

木化玉只产于东南亚地区，且形成的地质条件极其苛刻，所以储藏量极低，珍稀度远远超越了玉石和大理石。

赛德斯邦木化玉瓷砖，带着原石亿万年前的痕迹走到今天，留下现代的烙印走向未来，它是目前陶瓷史上惟一一款
同时具备木纹理、石质感和玉温润三者合一的室内装饰设计佳品。

详情点击赛德斯邦官方网站：www.cerlords.com

[GREEN]³

| Gp (Green produce) | Gs (Green sell) | Gu (Green use) |

$$[GREEN]^3 = GP \times GS \times GU$$

$GREEN^3$ = Gp (绿色生产) x Gs (绿色销售) x Gu (绿色使用)

Gp (Green produce)

VASAIO 维迅陶瓷
Ceramics 绿色建陶供应商

Gu (Green use)

Gs (Green sell)

T&L超薄瓷片、金刚盾（抛釉）大规格建材
www.vasaio.com.cn

接 • 点
Point of Contact

公司简介

雅缴精缴建材创建于九十年代初。
二十年来，致力于合成聚氨酯(PU)、
高强度纤维制品(GRG)与玻璃纤维产品(FRP)
装饰建材之天花与墙面领域，我们一直崇尚
『团体精神』、『严格质量』、『专业服务』
为经营宗旨，本着提升空间美学，
将艺术与生活完美结合，
提供一站式天花造型与墙面装饰之建议方案。

经营理念

创新、专业、诚信。
从研发团队之成立至
设计、制图、打样、雕塑、制模
等各项工作，
因循渐进的为客户提升产品质量，
融入家居生活品味。
雅缴全面采用环保材料，应用于装饰建材，
不仅美观、舒适、也等同安心。

绿色生活、感受雅缴

雅缴产品系列采用耐用性很强的美国进口
特种聚氨脂合成原料，不断提升生产技术
和结合我们最强的专业团队及高科技生产设备，
使雅缴产品能在市场上广泛采用。
每件雅缴产品必需达至精缴多元化、立体视觉艺术
为载体的造型以整合流畅产品系列为设计主轴，
不断推陈出新，融入现代经典设计风格。
雅缴产品能抗蛀、防潮、不发霉、易于清洗，永保如新。
不受天气变化而变形弯曲，不脱落，不龟裂，耐用高。
质轻易搬运，损耗率极低。
具弹性，能配合工程弧形天花造型。
施工简便，可刨、可粘、可钉，施工容易。
产品表面可涂装任何颜色涂料。
凭借其卓越成就与锐意进取的精神，
雅缴精缴建材自1993年以来
便成为全国建筑装饰业内的领导品牌之一。

接 • 点

PAST • PASS　过去 • 擦身而过
PRESENT • TOGETHER　现在 • 有缘相遇
FUTURE • COOPERATE　未来 • 共同创建

雅缴 •

咨询及客服 联络人：戴小姐(86) 15018954885　QQ:2386989654　邮箱：2386989654@qq.com
广州（天河）：广州市天河区广州大道中85号红星美凯龙全球家居生活广场二楼B8010_2铺
广州（南岸）：广州市荔湾区南岸路30号广州装饰材料市场B栋005铺
深圳（坂田）：深圳市龙岗区坂田街道坂雪岗大道163号P栋一楼3号
WWW.tip-top.hk

4.As-built
实现

3.Carving
原型雕塑

2.Our suggestions
雅缀建议

1.Your Concept
你的概念

雅緻 精緻 建材
CREATIVE DECORATION MATERIALS
SINCE 1993

材

Ceilings and Walls Partner

你的天花与墙面好伙伴!!!

诚邀阁下 携手合作 共同创建 完美项目

We cordially invite you to cooperates any new project

雅緻精緻建材
CREATIVE DECORATION MATERIALS
Since 1993
天花与墙面 装饰好伙伴
Your Walls and Ceilings Partner

倫勃朗家居
Rem Brandt *Furniture*

24K鍍金歐式家具・飾品
24k Gold Plating Furniture And Decoration

New costly. New trend
新奢华．新风尚

奢华非凡 唯美艺术
COSTLY SPECIAL AESTHETIC ART

伦勃朗家居配饰
24K 镀金家居饰品彰显高贵品质

为您的家，我们提供更多饰品：吊灯、壁灯、台灯、
落地钟、挂钟、台钟、花架、衣架、饰品架、餐车、屏风、烛台、烟盅、果盘、杂志架等，还有精心定
制的床垫、床上用品、地毯、木皮画等配套品。

For your home,we offer more accessories:chandlier,well lamps,table lamps,floor clock,table clock,flower racks,clotses hangers,jewelry shelf,dining car,candles,smoke
pots,fruit tray,magazine rack,etc.as well as carefully.Custom mattresses,bedding,carpet,wood paintings,and other ancillary products.

佛山市顺德区伦勃朗家居有限公司
Foshan city shunde district Rembrandt
furniture CO.,LTD

地址：中国广东省佛山市顺德区龙江镇旺岗工业
区龙峰大道 43 号
Add: No. 43 Longfeng Road.Wanggang Industrial
Zone, Longjiang Town.Shunde District. Foshan
City Guangdong Province. China

电话 86-757-23223083　23870993
传真 86-757-23226378　23870997
邮箱 sales@rembrandt.com.cn
网址 www.rembrandt.com.cn

饰界瓷砖目

方寸空间即有变化万千，只

由金牌亚洲创新演绎

全新喷墨+工艺，深层次晶变纹理，超越天然的装

为您创造专

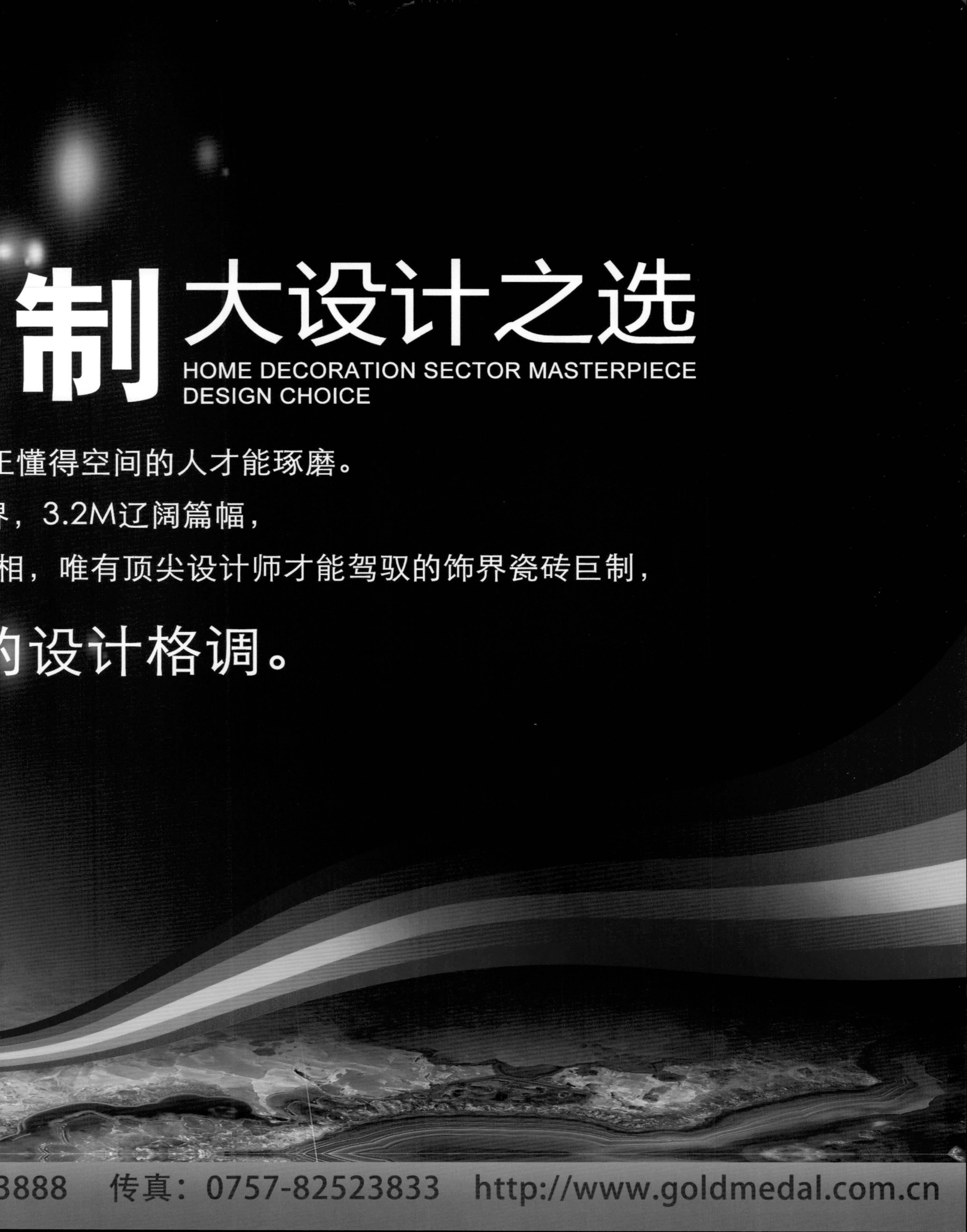

制 大设计之选
HOME DECORATION SECTOR MASTERPIECE DESIGN CHOICE
懂得空间的人才能琢磨。
，3.2M辽阔篇幅，
相，唯有顶尖设计师才能驾驭的饰界瓷砖巨制，
设计格调。
3888 传真：0757-82523833 http://www.goldmedal.com.cn

海德·饰博汇
Head Decoration Trade Plaza

海德·饰博汇
Head Decoration Trade Plaza

长三角一站式工程饰品选材基地
www.eshibohui.com

饰博汇——中国陈设艺术设计第 1 门户
www.eshibohui.cn

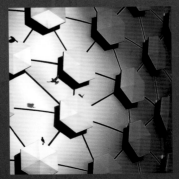

浙江省嘉兴市经济开发区桐乡大道 1235 号   86-0573-82692320

China-Designer.com
中国建筑与室内设计师网

设计公司专属网盘
——存储代替优盘，传输代替QQ

同步盘
www.tongbupan.com

他们正在使用同步盘，诚邀您的加入：

筑邦　　　LESTYLE 乐尚设计　　　HHD 華滙設計

筑邦　　　乐尚　　　华汇集团　　　• • •

海量存储 告别优盘： 超大空间的同步盘可以自动保存设计稿，安全可靠、自动备份；任何时间、任意文档都能被轻松检索。凭借多终端同步功能，无论是 Windows、Mac、iPhone、iPad 、Android 等各种移动设备，都可以随时随地访问设计稿，彻底告别优盘。

自动传输代替 QQ： 将超大的设计文件生成一个链接，通过邮件轻松发送给客户；同步功能更能实现文档自动传输，完全不必担心网络断线，文件传输全面代替 QQ。

安全存储 永不丢失： 构架在阿里云开放存储平台之上，使用银行级传输加密、文件加密存储、防暴力破解等多重安全技术保障。使用了和 Gmail 相同等级的安全证书，数据传输安全通道值得信赖。同时，7*24 小时不间断冗余备份，给企业提供全面可靠的存储服务，设计文件永不丢失。

协同设计 合作高效： 除存储外，同步盘支持设计团队间的协同工作，只要将文件夹与其他成员共享，即可简单快捷地了解团队的进展并及时做出评论和修改，让整个项目组在办公室和移动过程中随时随地开展工作，从而极大地提高效率。

分级权限管理 确保设计成果不泄露： 同步盘为共享文件夹设置访问权限，公共文件支持权限嵌套；安全外链实时控制外部用户访问，更能实时回收文档；"仅可预览"功能在传播设计理念的同时又可保证文档不被二次利用；通过八种角色和多层级的安全权限来保证设计成果安全、可控。

AI、PSD、DWG 专业格式预览： 同步盘特别增强了文件的在线预览和在线编辑功能，实现了对 .psd, .ai, .dwg 等专业设计格式的在线预览功能；并与 Office, AutoCAD, Illustrator, Photoshop 完美结合，无需上传下载，即可实现对文档的在线编辑，保存后自动同步更新，紧密贴合设计师的工作流程,成为业界独有的应用。

易装修

China-Designer.com
中国建筑与室内设计师网

手机客户端

易装修在手，无论你身在何方所在何处
设计师、设计图库轻松掌握！！

更炫的图片效果，更智能的搜索功能，更贴身的服务

 "易装修" IOS客户端
App store 商店下载

 "易装修" Android 客户端
各大安卓商店下载安装

iPhone版"易装修"

用户直接通过手机苹果

商店App Store搜索下载

使用，或者通过 iTunes

软件搜索下载安装

安卓版"易装修"

用户可以通过手机安卓

商店搜索"易装修"

下载使用

易装修

China-Designer.com
中国建筑与室内设计师网

iPad客户端

 "易装修HD" IOS客户端
App store 商店下载

iPad版"易装修HD"

用户直接通过手机苹果

商店App Store搜索下载

使用，或者通过 iTunes

软件搜索下载安装

北京吉典博图文化传播有限公司是融建筑、美术、印刷为一体的出版策划机构。公司致力于建筑、艺术类精品画册的专业策划。以传播新文化、探索新思想、见证新人物为宗旨、全面关注建筑、美术业界的最新资讯。力争打造中国建筑师、设计师、艺术家自己的交流平台。本公司与英国、新加坡、法国、韩国等多个国家的出版公司形成了出版合作关系。是一个倍受国际关注的华语出版策划机构。

Beijing Auspicious Culture Transmission Co., Ltd. is a publication-planning agency integrating architecture, fine arts and printing into a whole. The Company is devoted to the specialized planning of the selected album in respect of architecture and art, and pays full attention to latest information in the fields of architecture and art, with the transmission of new culture, the exploration of new ideas, the witness of new celebrities as its tenet, striving to build up the communication platform for Chinese architectures, designers and artists. The Company has established cooperative relationships with many publishing companies in Britain, Singapore, France and Korea etc. countries; it is an outstanding Chinese publishing agency that draws the global attention.

Contributions 征稿
Wanted... 进行中……

室内·建筑·景观

感 谢 您 的 参 与 !

吉典文化
WWW.JI-CHINA.COM

TEL: 010-68215537 010-67533200   E-MAIL: jidianbotu@163.com   bjrunhuan@163.com

VILLA
别墅

目录
CONTENTS

主案设计：
朱伟 Zhu Wei
博客：
http://1015841.china-designer.com
公司：
苏州善水堂创意设计有限公司
职位：
总设计师

奖项：
2009年亚太室内设计精英邀请赛酒店设计铜奖
2010首届中国国际空间环境艺术设计大赛优秀奖
2011中国国际空间环境艺术设计大赛优秀奖

项目：
苏州江南红大酒店
苏州彩虹舫大酒店
苏州尊园别墅
苏州米兰新娘
弥勒圣境——兜率天宫博物馆
苏州丽滩别墅

苏州尊园别墅
Suzhou Zunyuan Villa

A 项目定位 Design Proposition

尊园别墅以江南的"荷"展开设计，表达主人独特的审美要求，就像诗里描绘的"十里荷香景色幽，佳人映水犹含羞。波光染彩斜阳下，醉弄清风一叶舟。"

B 环境风格 Creativity & Aesthetics

通过对不同角度的设计表现与灯光的映衬，诠释"荷"在空间的艺术表情，显得格外富有诗意。

C 空间布局 Space Planning

设计以这种诗意化的方式诠释空间的情境，诉求人文内涵与格调，特别是讲究家具陈设及装修用材的质地的映衬。在功能区的过渡上，设计通过微妙的错落关系来表达空间特殊的使用价值，并结合隔断的虚实变化来传递空间的延展性。

D 设计选材 Materials & Cost Effectiveness

在整个黑白灰的基调上，强调家具的主导作用，渲染了家居空间的艺术美感与舒适度。

E 使用效果 Fidelity to Client

本案充分体现了家居生活的舒适度与高品质。

Project Name_
Suzhou Zunyuan Villa
Chief Designer_
Zhu Wei
Participate Designer_
Design Group
Location_
Suzhou Jiangsu
Project Area_
350sqm
Cost_
700,000RMB

项目名称_
苏州尊园别墅
主案设计_
朱伟
参与设计师_
公司团队
项目地点_
江苏省 苏州市
项目面积_
350平方米
投资金额_
70万元

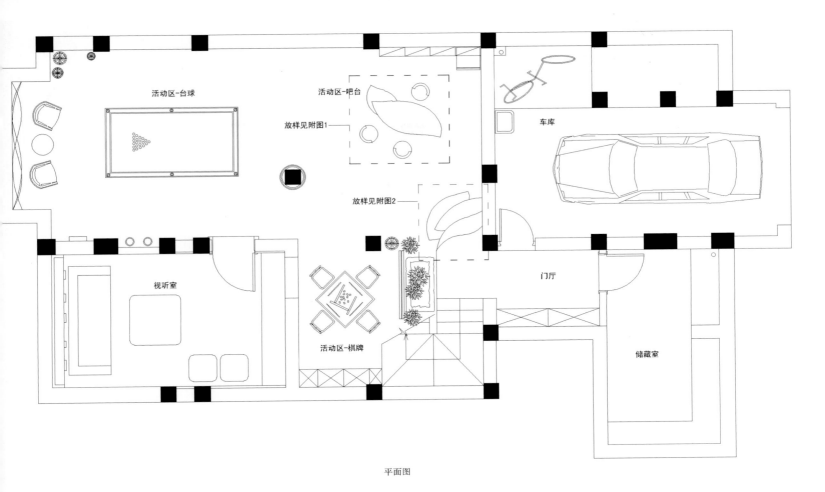

活动区-台球

活动区-吧台

放样见附图1

车库

放样见附图2

视听室

门厅

活动区-棋牌

储藏室

平面图

主案设计：
孙建亚 Sun Jianya
博客：
http:// 1014271.china-designer.com
公司：
上海亚邑室内设计有限公司
职位：
设计总监

奖项：
2011年艾特奖国际空间设计大奖 住宅空间
提名大奖
2011年艾特奖国际空间设计大奖 办公空间
提名大奖
2011年IAI亚太绿色设计全球大奖 企业空间
金奖
2012年IDCF2012大中华区最具影想力设计机构

项目：
浦江华侨城123#1地块样板房(上海)　　昆山佑国服饰织品集团研发中
浦江华侨城123#2地块样板房(上海)　　昆山弘辉首玺会所
来伊份集团(上海)总部　　　　　　　　颖奕博园高尔夫别墅
维格娜丝服饰集团(上海)设计中心　　　重庆小天鹅集团双重喜庆分店
金禧汇酒店　　　　　　　　　　　　　海南三亚Lady GaGa酒吧
台北青山镇　　　　　　　　　　　　　杉杉集团芜湖生物产业孵化园
上海东方剑桥

上海七宝公馆
Shanghai QiBao Mansion

A 项目定位 Design Proposition

"少，即是多"的现代极简主义，北京四合院的布局，苏州园林的营造法，这三者的融合将一种符合东方
美学情景下的当代都市生活方式呈现在我们面前。这也就是设计师为业主打造的围合式都市别院。

B 环境风格 Creativity & Aesthetics

设计师倾向室外手法室内用，控制室内过多的装饰和陈设。空间六个界面与家具、与动线、与动静、与业
主所需的生活方式都做了妥当的梳理。

C 空间布局 Space Planning

整栋建筑以中央泳池为核心景观，呈U字形围合布局，中庭休闲活动区成为整栋建筑的共享空间。室内与
室外对话是设计中最精彩的部分。

D 设计选材 Materials & Cost Effectiveness

创造性地打破材料原有的属性，使其"再生"出新的特质也是本案的特色之一。例如，使用添加天然矿物
及石英砂的自流平特殊材料，使得大面积无接缝的地坪材料变得有可能，并且伸缩系数降至非常低，完成
后的地坪光洁透亮，完整大气，更大大提升了地热系统的效能。

E 使用效果 Fidelity to Client

开放且通透的休闲娱乐空间，使好客的业主将此称为宴请宾客的不二场所。

Project Name_
Shanghai QiBao Mansion
Chief Designer_
Sun Jianya
Location_
Minhang Shanghai
Project Area_
1,300sqm
Cost_
15,000,000RMB

项目名称_
上海七宝公馆
主案设计_
孙建亚
项目地点_
上海市 闵行区
项目面积_
1300平方米
投资金额_
1500万元

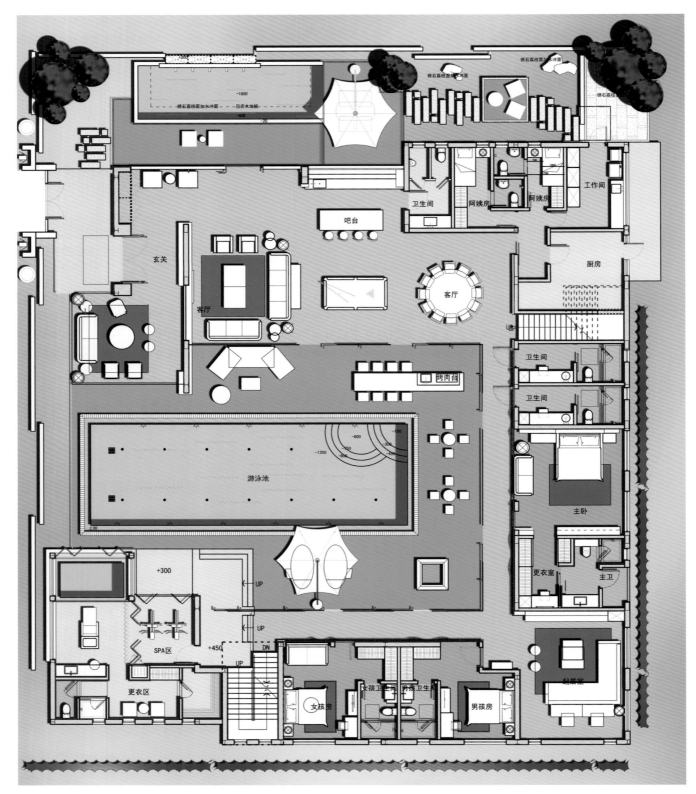

锈石荔枝面加水冲面

锈石荔枝面加水冲面

-1800

锈石荔枝面加水冲面 巴劳木地板
-600
-20

工作间

卫生间   阿姨房   阿姨房

吧台

厨房

玄关

客厅   客厅

卫生间

烤肉台

卫生间

-600
-150
-1200   -300
-900   -200

游泳池

主卧

+300

UP

UP

更衣室   主卫

SPA区   +450   DN

UP

更衣区   女孩房   女孩卫生间 男孩卫生间   男孩房   起居室

平面图

主案设计：
张祥镐 Zhang Xianggao
博客：
http:// 1015747.china-designer.com
公司：
伊太空间设计事务所
职位：
设计总监

项目：
宜兰女中路集合住宅
桃园Shanyang Ye 建筑外观
北京富城办公建筑案
台北南港黄公馆
台北塔悠路水人山楼宅
台北忠孝东路刘宅
Vorwerk Taipei Office

AA Freight Taipei Office
Moi 连锁餐饮店

台北海纳川度假豪宅
Taipei Hai-Na-Chuan Luxury House

A 项目定位 Design Proposition

在台北都会生活的人们，可以在此生活难能可贵，无论是假日的休闲，或是退休后在此悠闲赋居，都表现出宏观大器但却温暖的生活态度，而这调性是由内在散发出来，适合细致地慢慢品味它。

B 环境风格 Creativity & Aesthetics

潮流不代表盲目追逐，时尚不一定要穿金带银。此案提供出百坪米豪宅的度假休闲概念，夜幕渐低垂，沿着台北市淡水河向出海口望去，整个休闲度假的感受油然而生。

C 空间布局 Space Planning

阅读空间，透过石材底面和灰色玻璃的隔屏略窥一二，在过道端点设置此空间，无非是连结客厅和厨房的手法，配上落地清玻璃，让居住在此时里外无界线的感受油然而生。卧室则呈现出清爽幽雅的简约设计手法，纷扰的都会生活之余，在卧房当中得到最简单满足的心情。

D 设计选材 Materials & Cost Effectiveness

内部的整体营造以实木地板呈现出更沉稳的语言，电视主墙的夜光石与冷气出风口配上镭射切割实木条，增添低调时尚休闲气息，同时让混搭的家具物件植入其中呈现，目的在于让沉稳中也透露出活泼的对比美学。而在大笔文章的水平天花结合间照，让空间中的视觉有了平衡焦点。

E 使用效果 Fidelity to Client

业主非常满意。

Project Name_
Taipei Hai-Na-Chuan Luxury House
Chief Designer_
Zhang Xianggao
Location_
Taibei Taiwan
Project Area_
600sqm
Cost_
5,000,000RMB

项目名称_
台北海纳川度假豪宅
主案设计_
张祥镐
项目地点_
台湾 台北
项目面积_
600平方米
投资金额_
500万元

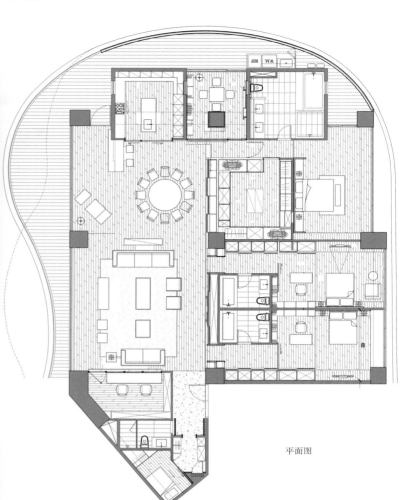

平面图

主案设计：
瞿铁奇 Qu Tieqi
博客：
http:// 1015781.china-designer.com
公司：
鸿扬家装
职位：
首席设计师

奖项：
2011年9月17日CCTV-2交换空间栏目"绿野仙踪"（红队设计师）
2011年11月13日"雅居"荣获CIID第十四届中国室内设计大奖赛"学会奖"住宅工程类铜奖
2012年4月11日"湘江一号"荣获第七届上海国际室内设计节"金外滩奖"最佳景观设计优秀奖

项目：
尚城B1户型样板房
蔚蓝海岸的简约生活
新外滩生活
同升湖独立别墅

知足居
Content house

A 项目定位 Design Proposition
注重建筑与自然的融合。

B 环境风格 Creativity & Aesthetics
将室外景色更多地引入室内，既追求简约现代又希望体现典雅与高贵的气质。

C 空间布局 Space Planning
在造型上简洁质朴，稳重大方，在节制中体现典雅与高贵的文人气质。

D 设计选材 Materials & Cost Effectiveness
设计中色彩以白色基调辅以冷灰色等中间色，配以小面积的深棕原色点缀，突显自然材质美。

E 使用效果 Fidelity to Client
提高居住环境的品质。

Project Name_
Content house
Chief Designer_
Qu Tieqi
Location_
Changsha Hunan
Project Area_
300sqm
Cost_
1,000,000RMB

项目名称_
知足居
主案设计_
瞿铁奇
项目地点_
湖南省 长沙市
项目面积_
300平方米
投资金额_
100万元

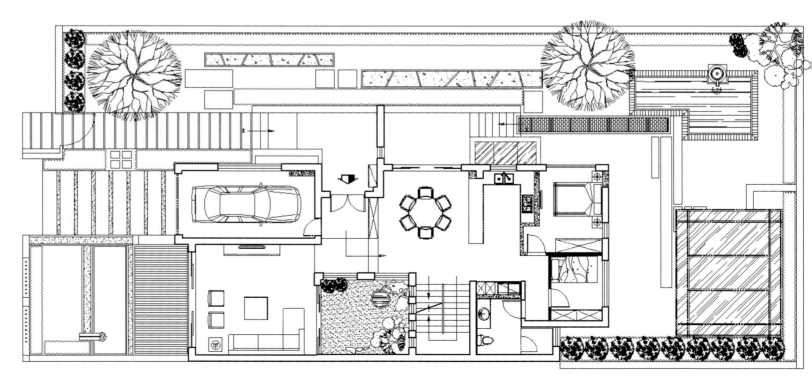

一层平面图

主案设计：
徐慧平 Xu Huiping
博客：
http:// 1015778.china-designer.com
公司：
席克空间设计有限公司
职位：
设计总监

项目：
浑然天成

浑然天成
ASPIRE

A 项目定位 Design Proposition

为了不浪费这独天独厚的环境条件，将120坪的空间重新赋予新意，除了将屋子的衣角规划为玻璃屋的形式，通透的玻璃从一楼延伸至三楼，俨然成为建筑与环境的交接隧道，尤其二楼的客卧及三楼主卧卫浴也被安排在玻璃屋的位置，让全室充满了来自大自然的清新静谧。

B 环境风格 Creativity & Aesthetics

在这处绿意盎然的别墅中，融入体贴流畅的格局、动线配置，将空间塑造成一个生动的舞台，搭配对比平衡的色彩与天然素材，辉映精选家具和别致的灯光计划，同样满足感官与视觉的所有欲望，也具体实践自然休闲和精致优雅兼容并蓄的新生活美学。

C 空间布局 Space Planning

于一楼入口处，因堪舆忌讳及空间更完整运用等双重考虑，设计师将通往前院的大门转向，巧妙的消弭了楼梯直通出入口的忌讳，也因之加大客厅的面积，特别是在入口处天花饰板以原木栅栏设计，不仅可以和前院通往地下室楼梯上的原木栅栏相呼应，更替客厅向外望的苍穹绿意增添了不少意境。
屋内的艺术收藏为数众多，雕刻、雕塑、古董、画作，所以在设计之初设计师便对这些艺术收藏进行了解，并选择部分收藏入屋内设计中，从品项、风格、尺寸、用色及材质各层面来思量，使得空间中的艺术品彼此间以及与环境之间的关系，都能得到最适切的安排。

D 设计选材 Materials & Cost Effectiveness

公共空间以黑白纯色搭配深色柚木的沉稳低调，二楼与三楼的休憩空间则加入浅色系橡木洗白。

E 使用效果 Fidelity to Client

建筑的侧边使用落地窗，不仅仅把屋外的自然环境带入了室内，而三面美景环抱巨大方形汤池，上方类似阳光屋的设计，为视觉带来无比的明亮与置身原野的想象，不仅如此，全室还运用了许多环保的建材。

Project Name_
ASPIRE
Chief Designer_
Xu Huiping
Participate Designer_
Xu Yupei, Zheng Shijie
Location_
Taibei Taiwan
Project Area_
400sqm
Cost_
26,000,000RMB

项目名称_
浑然天成
主案设计_
徐慧平
参与设计师_
许郁佩、郑诗洁
项目地点_
台湾 台北市
项目面积_
400平方米
投资金额_
2600万元

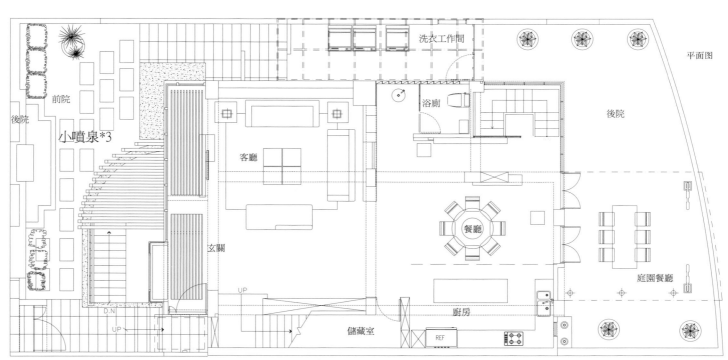

平面图

洗衣工作間
浴廁
後院
前院
後院
小噴泉*3
客廳
餐廳
玄關
庭園餐廳
廚房
儲藏室
REF
UP
D.N
UP

主案设计：
张志宽 Zhang Zhikuan
博客：
http:// 1015111.china-designer.com
公司：
东易日盛家居装饰集团股份有限公司
职位：
主任级设计师

奖项：
第六届国际艺术博览会住宅设计奖
第十二届美化家居展览会"住宅建筑类银奖"

项目：
格拉斯小镇
香醍西岸
碧海方舟
紫玉山庄
一栋洋房

三味书屋——北京玫瑰园别墅
Three taste bookshops, Beijing Rose Garden Villa

A 项目定位 Design Proposition
在室内设计中，最重要的是设计理念和对空间的规划利用与组合。

B 环境风格 Creativity & Aesthetics
设计师将互动空间、共享空间的想法贯穿整个设计，所有的隔断均没有延伸至墙根，在周围形成了360动线，贯通四方。

C 空间布局 Space Planning
在这个由吧台、台球桌、沙发、书架围合的一方天地里，既开放、又兼具了酒吧、书吧、台球室等多种功能，这也使得视觉上有穿插，功能上有共享。如果用客厅、书房、餐厅这样的常规格局划分空间不仅显得老套，而且完全不实用。

D 设计选材 Materials & Cost Effectiveness
铺散在整个墙面的六组书架和落地窗交错排列，透入室内的光被调节的或强或弱，颇具韵律感。

E 使用效果 Fidelity to Client
设计不纯粹是视觉上的模拟某种风格，更核心的是它所指向的生活方式。

Project Name_
Three taste bookshops, Beijing Rose Garden Villa
Chief Designer_
Zhang Zhikuan
Location_
Changping Beijing
Project Area_
280sqm
Cost_
180,000RMB

项目名称_
三味书屋——北京玫瑰园别墅
主案设计_
张志宽
项目地点_
北京市 昌平区
项目面积_
280平方米
投资金额_
18万元

一层平面图

主案设计：
翟中好 Zhai Zhonghao
博客：
http://1016210.china-designer.com
公司：
康之居艺龙工作室
职位：
设计总监

奖项：
南昌十大设计师
南昌十大高端设计总监
南昌十大风尚设计师

项目：
绿地
恒茂湖滨
万科青山湖

南昌绿湖豪城
Nanchang Green Lake City

A 项目定位 Design Proposition
本方案设计每层楼有不同的感觉，但格调要有联系。

B 环境风格 Creativity & Aesthetics
风格定位为欧式田园风格。

C 空间布局 Space Planning
空间布局以欧式田园风为主导，合理布局。

D 设计选材 Materials & Cost Effectiveness
客厅以沙安娜大理石为主背景，餐厅以仿古砖地面和实木橱柜相结合。

E 使用效果 Fidelity to Client
很好。

Project Name_
Nanchang Green Lake City
Chief Designer_
Zhai Zhonghao
Location_
Nangchang Jiangxi
Project Area_
500sqm
Cost_
2,000,000RMB

项目名称_
南昌绿湖豪城
主案设计_
翟中好
项目地点_
江西省 南昌市
项目面积_
500平方米
投资金额_
200万元

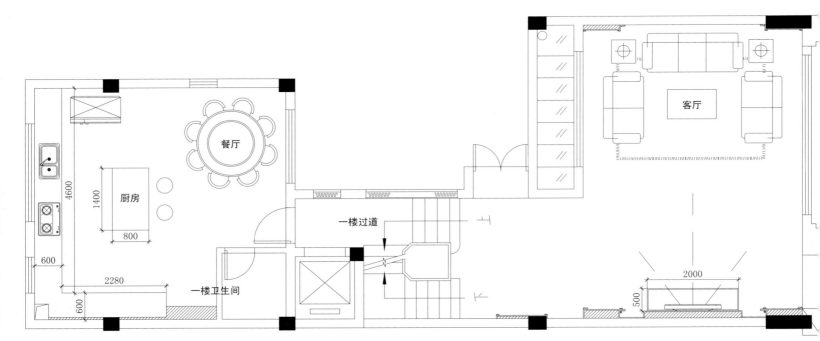

平面图

主案设计：
罗刚 Luo Gang
博客：
http:// 1014894.china-designer.com
公司：
四川斯博兰德建筑装饰设计有限公司
职位：
顾问级设计师

奖项：
07年度四川省住宅装饰装修产业优秀设计师

项目：
泸州医学院附属医院综合楼多功能厅
格林君典销售中心
鸿阁1号销售中心
成都后花园别墅

黑白偏执空间——成都中海龙园空中别墅
Black and White Paranoid Space

A 项目定位 Design Proposition
同样是300平方米的空间，同样是定位于高端私人住宅，业主却偏爱极简的现代风格。所以该空间被设定为简单明了，时尚明快的当代风格。

B 环境风格 Creativity & Aesthetics
由于定位为当代风格，就需要用最简约的线条完成空间的规划设计，所以本空间在黑白基调下，体现了工业文明基础上明朗的风格。室内空间简约、明朗，室外花园简约、淳朴，真正做到了功能性与审美联想的完美结合。

C 空间布局 Space Planning
本空间在空间布局上强调纯粹的现代感，没有过多的夸张修饰，运用家居饰品，创意组合，区分联系各个子空间。不仅室内空间有机组合，室内与室外空间也能自然过渡。黑与白的色彩组合也在视觉上凸显了空间的灵动性。

D 设计选材 Materials & Cost Effectiveness
为了表现以黑白为基调的空间，该空间并非一味的简单拼凑，镜面、墙纸、窗帘，纸质、玻璃、布艺，各种材质各种类型有机组合。装饰上多运用细节上表现艺术感与美感，例如别致造型的灯具，绘有国画的桌布，花园中的藤蔓植物等。

E 使用效果 Fidelity to Client
业主相当满意。

Project Name_
Black and White Paranoid Space
Chief Designer_
Luo Gang
Location_
Sichuan Chengdu
Project Area_
320sqm
Cost_
2,400,000RMB

项目名称_
黑白偏执空间——成都中海龙园空中别墅
主案设计_
罗刚
项目地点_
四川 成都
项目面积_
320平方米
投资金额_
240万元

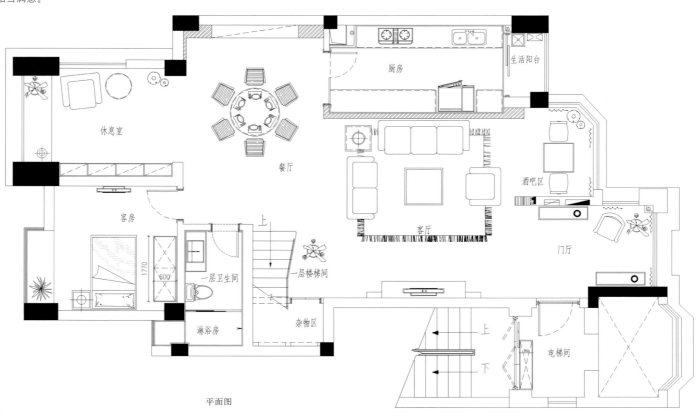

平面图

主案设计：
Enrico Taranta
博客：
http://1010727.china-designer.com
公司：
塔然塔建筑设计咨询（上海）有限公司
职位：
设计总监

奖项
APDC Silver award and Winning Prize

项目：
红坊创意办公室
鸟巢艺术酒店
上海世博会永久保留雕塑
上海中心大厦观光层
苏州华美达大酒店

上海洛克菲勒别墅翻新
The Making of the Rockfeller Villa

A 项目定位 Design Proposition

洛克菲勒别墅因其本身的故事，地处上海黄金地段，以及高端私人会所的稀缺性，它被定位于提供高品质服务、精致用餐环境的奢华会所。正因为其历史积淀，使其恢复昔日的辉煌是设计策划考虑的重中之重。

B 环境风格 Creativity & Aesthetics

环境设计整体非常简洁，点缀了一些欧式元素，主要从两方面考虑：一、建筑本身是主角，需要一定的空间展示；二、项目运营空间的考虑，室内外的空间结合起来运营能够应对不同需求的活动主题，例如小型开幕活动，草坪婚礼等。

C 空间布局 Space Planning

空间布局是从高端定位及功能需求相结合来考虑的，公共部分更多考虑营造曾经那段"黄金年代"历史的氛围，私密空间会在此基础上考虑现实运营的一些功能需求。同时也有些空间的改造，比如后勤通道的设置，让别墅内部运营系统更加高效。

D 设计选材 Materials & Cost Effectiveness

我们从遗留下来的一些材料线索去搜寻相近的，更加环保，持久的材料，尽可能做到修旧如旧，也更加耐用持久，让新材料去承载那段历史的记忆。

E 使用效果 Fidelity to Client

试运营中。

Project Name_
The Making of the Rockfeller Villa
Chief Designer_
Enrico Taranta
Participate Designer_
C
Location_
Huangpu Shanghai
Project Area_
1,000sqm
Cost_
7,000,000RMB

项目名称_
上海洛克菲勒别墅翻新
主案设计_
Enrico Taranta
参与设计师_
上海嘉春装饰设计工程有限公司 设计部
项目地点_
上海 黄浦区
项目面积_
1000平方米
投资金额_
700万元

主案设计：
罗瑜 Luo Yu
博客：
http://16253.china-designer.com
公司：
个人工作室
职位：
设计总监

奖项：
2006年"东易日盛"全国家装作品比赛 二
等奖
2008年"东易日盛"全国家装作品比赛 二
等奖

项目：
铁山坪别墅"燃情岁月"
蓝湖郡别墅"午后阳光"
蓝湖郡1-5别墅"时光停顿处"
常青藤1-1-17别墅"绅士的下午茶"

午后阳光
The afternoon Sunshine

A 项目定位 Design Proposition
本案为蓝湖郡西岸1-5独栋，面积600平方米左右。业主去过很多国家，希望把他喜欢的各种风格融为一体。

B 环境风格 Creativity & Aesthetics
风格上以托斯卡纳风格为主线，其中穿插一些装饰元素。客户还有其他的一些要求，比如吃早餐的时候可以看见女儿荡秋千、养一条小狗、随处可坐及可以拿到书的地方……故在平面定位上做了相应的一些变化。

C 空间布局 Space Planning
本案最大的改动就是把原本属于户外的一块空地归纳为室内，因为此户型最大的缺陷为客厅小气且不连贯，所以经过跟业主沟通，把户外空地的外墙全部打掉，用彩钢加碳化木结合的方式做了一个连贯于副厅及餐厅的一个可变空间，且刻意地把这块空间打造为奔放的地中海风格。

D 设计选材 Materials & Cost Effectiveness
在材质的选择上，选择了海蓝色的仿古砖及艺术性的教堂玻璃，用马赛克及花边砖收边，使整个空间更加完整。

E 使用效果 Fidelity to Client
细致周详的设计赢得了业主的喜爱。

Project Name_
The afternoon Sunshine
Chief Designer_
Luo Yu
Location_
Yubei Chongqin
Project Area_
600sqm
Cost_
3,200,000RMB

项目名称_
午后阳光
主案设计_
罗瑜
项目地点_
重庆 渝北区
项目面积_
600平方米
投资金额_
320万元

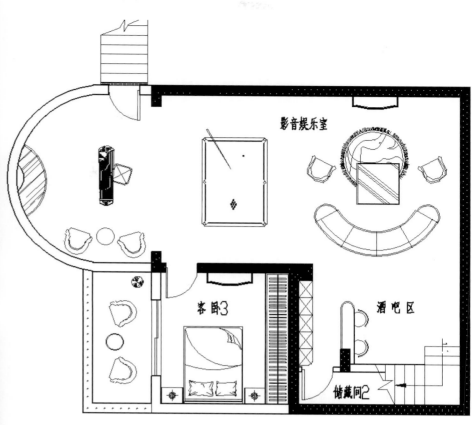

地下一层平面图

主案设计：
管杰 Guan Jie
博客：
http:// 25152.china-designer.com
公司：
尚层装饰（北京）有限公司杭州分公司
职位：
高级主创设计师

奖项：
2007年中国住宅室内设计大赛"威能杯"设计师博客大赛铜奖
2008年北京中国室内设计大奖赛"尚高杯"佳作奖
2009年19楼网友最受欢迎设计师
2011年中国室内设计"金堂奖"优秀住宅作品奖

项目：
大华西溪风情

杭州西溪山庄
Hangzhou Xixi Villa

A 项目定位 Design Proposition

此项目的空间设计让居住在不同空间的人都能享受到自己所需的环境功能，标准的中国家庭架构，气氛浓郁，舒适闲暇，用餐，娱乐，休闲，放松，恢复，学习，休息，迎客，健身等等，每天的生活在为其量身打造的空间度过，也改变了原先家庭成员的生活方式，更突出了家的大爱。

B 环境风格 Creativity & Aesthetics

灯光氛围作为设计重点，围绕雅致时尚主题，氛围灯光辅助主灯光，主光的营造以泛光源为主，空间局部功能突出氛围灯，以落地灯与壁灯为主导，满足整个大宅不同生活方式下的不同氛围，智能环境光源设计在此大宅中。

C 空间布局 Space Planning

此项目为420平方米的城市联排别墅，满足五口之家个人不同生活方式的同时，又增大了地下室的空间，添置工人房，储物间，客房，休闲娱乐空间。美式建筑的结构限制了室内的采光面积，故把一层的公共空间完全打开，让整个一层空间更开阔，厨房与餐厅处在同一空间中，通过多功能吧台的分隔，使得两者空间共同，功能独立，完善了多个家庭成员的使用功能。二层空间突出了一个家庭起居室，兼水吧及书房的功能，满足在主人私密生活的空间丰富生活方式；三层主要是家庭主人空间，把原有的楼道空间利用，满足了衣帽间，独立大卫生间及学习休闲空间的所有功能，当然休息空间也加强了舒适度。

D 设计选材 Materials & Cost Effectiveness

从与主人沟通到分析，进而设计施工完善，突出的主题是雅致简约，又有都市时尚氛围，中西合璧的生活方式是主导，强调低调奢华，故而在材质选择上用色彩涂料及环保壁纸，局部以大理石贯穿，木头墙板为辅助，打造整体舒适大宅。

E 使用效果 Fidelity to Client

业主非常满意！

Project Name_
Hangzhou Xixi Villa
Chief Designer_
Guan Jie
Location_
Hangzhou Zhejiang
Project Area_
420sqm
Cost_
1,500,000RMB

项目名称_
杭州西溪山庄
主案设计_
管杰
项目地点_
浙江 杭州
项目面积_
420平方米
投资金额_
150万元

主案设计：
王凯 Wang Kai
博客：
http:// 92239.china-designer.com
公司：
广东星艺装饰四川有限公司
职位：
设计师

奖项：
亚太室内设计精英邀请赛成都赛区铜奖

项目：
蜀郡18-2

成都麓山国际社区碧影溪
Chengdu Luxehills International Community Shadow Gree

A 项目定位 Design Proposition
作品风格为地中海！

B 环境风格 Creativity & Aesthetics
很自然和谐地与别墅本身建筑外观融合在一起，成都周边的别墅社区追求的是舒适休闲。

C 空间布局 Space Planning
根据客户买房的动机来说，要求就是简单，舒适却不失品味品质的空间，所以地中海风格最为合适。整个空间没有一个多余的造型或者装饰，每一个摆设及装饰都是独特的。

D 设计选材 Materials & Cost Effectiveness
在材料方面尽量选用环保简单耐看的材质！所以仿古砖，硅藻泥等材料是主要材料。

E 使用效果 Fidelity to Client
舒适却不失品位的设计赢得了客户的认同。

Project Name_
Chengdu Luxehills International Community Shadow Greek
Chief Designer_
Wang Kai
Participate Designer_
Feng Huazhong, Song Xiankun
Location_
Huayang Chengdu Sichuan
Project Area_
600sqm
Cost_
2,000,000RMB

项目名称_
成都麓山国际社区碧影溪
主案设计_
王凯
参与设计师_
冯华忠、宋贤坤
项目地点_
四川 成都市 华阳
项目面积_
600平方米
投资金额_
200万元

主案设计:
沈烤华 Shen Kaohua
博客:
http:// 158105.china-designer.com
公司:
南京沈烤华室内设计工作室
职位:
设计总监

奖项:
IA2010年 "L & D杯" 南京室内设计大奖赛
三等奖 优秀奖
2010年度南京市银牌优秀设计师称号
2011年度南京市好享家杯室内设计大奖赛
别墅工程类 一等奖
2011年度凤凰新势力南京十大室内设计师
2012年度"诺贝尔塞尚 印象杯"最具风尚奖

项目:
江苏省冶金设计院改造工程   锦绣花园别墅
南京市中华路健治一号保健品公司
南京宁海中学办公室室内装修程
南京雅戈尔服装专卖店（旗舰店）
运盛美之国别墅
瑞景文化别墅
苏源颐和美地别墅

黑白人生——南京栖园联排别墅
Monochrome life-Nanjing Habitat Park Townhouse

A 项目定位 Design Proposition
本户主夫妻为私企业主，提倡节能环保，极其偏爱简约风格，儿子钢琴过8级，外带父母一起住，希望在
空间上能好好发掘，实现大宅的功能和感觉，并控制装修成本。

B 环境风格 Creativity & Aesthetics
现代、时尚、简约、豪华而不失大气。

C 空间布局 Space Planning
在空间的错层和挑高的流线设计，私密区和活动区的流线关系，设计描述亮点。1．设计元素到位，将
现代风格做得彻底；2．所有材料运用设计手法将其变化，体现设计含量；3．整个空间运用了部分智能
化，客厅电动窗帘，所有房间的背景音乐，不用机顶盒的影音共享；4．一部分不合理的建筑结构经过设
计师的改造，更具实用性和美观性（如餐厅、小客厅、茶室、楼梯、主卧……）。

D 设计选材 Materials & Cost Effectiveness
自然温润材质的运用，使用经济实用的材质。后期软装家具的高度配合使其具有很高的性价比。

E 使用效果 Fidelity to Client
最终实现的效果使此作品成为现代简约风格别墅的标杆，在网络上具有很高的转载量，体现南京设计师
高端的水平。

Project Name_
Monochrome life-Nanjing Habitat Park Townhouse
Chief Designer_
Shen Kaohua
Location_
Nanjing Jiangsu
Project Area_
550sqm
Cost_
1,200,000RMB

项目名称_
黑白人生——南京栖园联排别墅
主案设计_
沈烤华
项目地点_
江苏省 南京市
项目面积_
550平方米
投资金额_
120万元

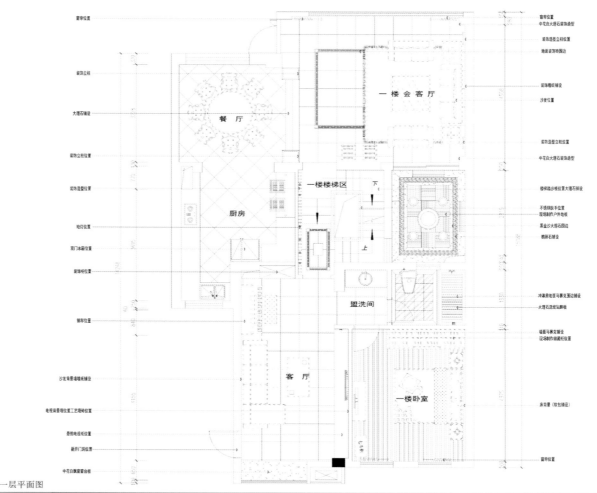

餐厅

一楼会客厅

一楼楼梯区

厨房

客厅

盥洗间

一楼卧室

一层平面图

主案设计：
严海明 Yan Haiming
博客：
http:// 177792.china-designer.com
公司：
严工设计空间
职位：
设计总监

奖项：
2010年"尚高杯"中国室内设计大奖赛佳作奖
2010长三角室内设计大奖赛二等奖

项目：
宁波江南一品一期E3幢别墅

服装设计总监的个性别墅
Personalized Villa

A 项目定位 Design Proposition
主人为城市的独特人群，崇尚自我的意境，追寻一种远离喧闹、独自取乐的居家感悟。

B 环境风格 Creativity & Aesthetics
给合主人要求，设计营造出充满朴古的艺术氛围，西式经典与中式文化的融合。

C 空间布局 Space Planning
空间布局以中庭（中式天井）为轴心分布功能各空间，形成室内四合院的巧妙布局。

D 设计选材 Materials & Cost Effectiveness
主要材料亮点在于充分利用色彩丰富的低价仿古瓷片与古朴的原木质感相结合，营造朴古的艺术独特氛围。

E 使用效果 Fidelity to Client
设计营造出溢满朴古艺术氛围的空间，充分展现了主人的独特个性气质和品味；令主人非常满意，设计效果给予了极高的评价。

Project Name_
Personalized Villa
Chief Designer_
Yan Haiming
Participate Designer_
Xia Xiaoli, Zhang Hong
Location_
Xikou Ningbo Zhejiang
Project Area_
500sqm
Cost_
2,000,000RMB

项目名称_
服装设计总监的个性别墅
主案设计_
严海明
参与设计师_
夏小立、张宏
项目地点_
浙江 宁波市 溪口
项目面积_
500平方米
投资金额_
200万元

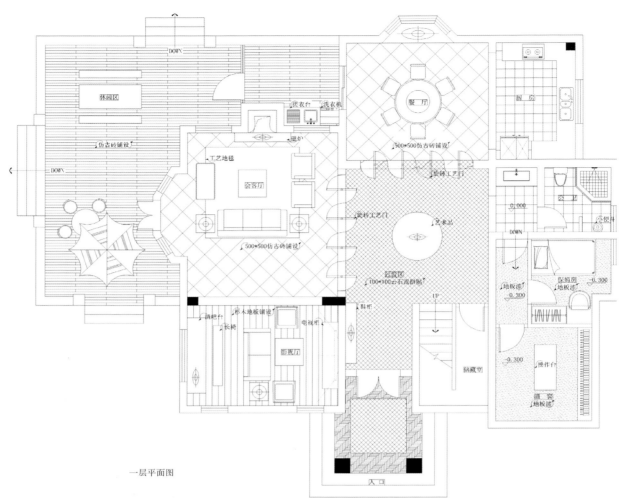

一层平面图

主案设计:
田艾灵 Tian Ailing
博客:
http:// 212284.china-designer.com
公司:
重庆十二分装饰工程设计有限公司
职位:
设计总监

奖项:
2008年搜狐威能杯室内设计大赛重庆赛区金奖;
2008年搜狐威能杯室内设计大赛全国银奖;
2010获第七届设计明星大赛重庆赛区优胜奖

项目:
蓝湖郡别墅
江与城别墅
保利高尔夫别墅
龙湖郦江跃层
绿地翠谷别墅
同创高原跃层
保利国宾上院

爱之橡树空间
Love the Oak Room

A 项目定位 Design Proposition

围绕绿色这个主题,选用了自然主义风格;从材质上本案采用来自自然的木、石以及大地色系体现;同时抛弃贴在墙面的装饰元素,避免造成不必要的资源浪费,力求用最少的语言诉求空间主题,如房间门、橱柜、洗面柜、沙发、衣柜等等均为设计制作,既是功能需要也是风格体现需要。

B 环境风格 Creativity & Aesthetics

依据小区主体建筑风格,对应设计室内,不造成空间的脱节,让小氛围融于大社区。

C 空间布局 Space Planning

用风格里的经典建筑元素贯穿室内空间,达到迂回、移步换景的效果。

D 设计选材 Materials & Cost Effectiveness

不拘泥于传统室内选材,直接用粗砺的干粉沙浆做墙面材料,丢掉刮腻子、上乳胶漆或贴墙纸的一般做法,让墙面随意呈现刮痕、砂洞等,更贴合海风磨砺下的地中海原始风格。

E 使用效果 Fidelity to Client

功能布局合理;不仅美观,而且超耐用,不用为装了一个新家,在居住时得小心翼翼地服侍着她。

Project Name_
Love the Oak Room
Chief Designer_
Tian Ailing
Location_
Beibuxinqu Chongqing
Project Area_
198sqm
Cost_
800,000RMB

项目名称_
爱之橡树空间
主案设计_
田艾灵
项目地点_
重庆 北部新区
项目面积_
198平方米
投资金额_
80万元

主案设计:
王兴 Wang Xing
博客:
http://253180.china-designer.com
公司:
湖南自在天装饰设计工程有限公司
职位:
高级室内设计师

麓山恋——从前以后
Foothills'Ivor

A 项目定位 Design Proposition
随着社会的发展，人们对生活环境的要求逐渐从功能型提升到具有人文气息和生态平衡的艺术环境，室内
环境空间作为文化的一种载体，包含着深刻的文化印迹和浓厚的人文精神。

B 环境风格 Creativity & Aesthetics
在岳麓山中，有很多绿茵茵的大树，有泉水叮咚，有奇山异石，没有任何污染，没有任何修饰，到处都是
人们向往的自然味道。

C 空间布局 Space Planning
没有华丽的装饰，没有炫目的灯光，却充斥着满是情感的气味，用石砖，用原木，用宽敞的落地玻璃与温
和的灯光体现着粗犷与柔美，只为了寻求最原始最真实的自己，寻求记忆里那一丝最永恒的情感回归。

D 设计选材 Materials & Cost Effectiveness
无论是粗犷的水泥砖，简单的绿色植物，有着独特意境的实木空间，还是时尚却精致典雅的金属饰物，或
者颇具质感的皮革沙发等等，简洁的材料，从落地玻璃透出的大片景观植物，明快的色调，无一不体现出
中国古典哲学中天人合一的思想。

E 使用效果 Fidelity to Client
在设计中，更多的提炼了符合他个性与喜好的元素：原始的实木，粗犷的水泥空心砖，简洁的灰色水泥自
流平地面，野性十足但细腻耐久的皮革，来打造一个简约中透出一种自然旷野的逍遥、清新、舒适的家。

Project Name_
Foothills'Ivor
Chief Designer_
Wang Xing
Location_
Changsha Hunan
Project Area_
360sqm
Cost_
800,000RMB

项目名称_
麓山恋——从前以后
主案设计_
王兴
项目地点_
湖南 长沙
项目面积_
360平方米
投资金额_
80万元

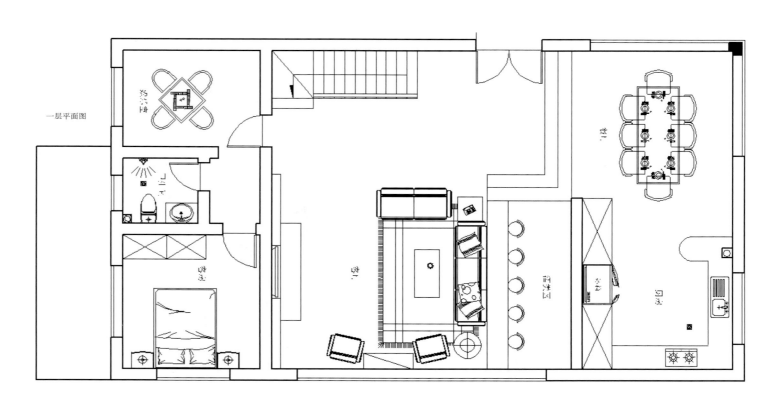

一层平面图

主案设计:
由伟壮 You Weizhuang
博客:
http:// 257999.china-designer.com
公司:
壮壮设计—大墅施工
职位:
设计总监

奖项:
2012年荣获2011"亨特窗饰杯"首届全国软装TOP设计奖
2011年荣获金堂奖年度优秀住宅公寓设计作品
2011年荣获第六届大金内装设计大赛别墅组-综合设计金奖
2010年金堂奖年度十佳住宅公寓设计奖
2010年江苏常熟最具影响力十大风云人物

项目:
江苏常熟市滨海实业办公楼
江苏省太仓华侨花园
江苏省常熟市八号时尚广场
江苏省常熟市雅兰美地别墅
江苏省常熟市名流世纪庄园

苏州世茂一期联排别墅之致简
Suzhou Shimao a platoon villa to Jane

A 项目定位 Design Proposition

设计是梦想,当室内设计完成就是梦想完成的时候,每个设计之初,就像设计师开始做梦,在一个空空的房子里安上好多东西,有风格,有色彩,有造型,有灯光,还有触手可接的材质,通过一切的想象,经过数月的挣扎最终让梦想实现。

B 环境风格 Creativity & Aesthetics

本案是一种淡雅的、浅灰色调的、高亮的现代风格。

C 空间布局 Space Planning

纵观整个设计,每处都有绿色的元素贯穿其中,不管是植物也好、色彩也好,给人带来一种来自生命的纵深感。

D 设计选材 Materials & Cost Effectiveness

绿色调贯穿整个空间,并有灰色点缀其中。

E 使用效果 Fidelity to Client

业主十分满意。

Project Name_
Suzhou Shimao a platoon villa to Jane
Chief Designer_
You Weizhuang
Location_
Changshu Jiangsu
Project Area_
270sqm
Cost_
500,000RMB

项目名称_
苏州世茂一期联排别墅之致简
主案设计_
由伟壮
项目地点_
江苏省 常熟市
项目面积_
270平方米
投资金额_
50万元

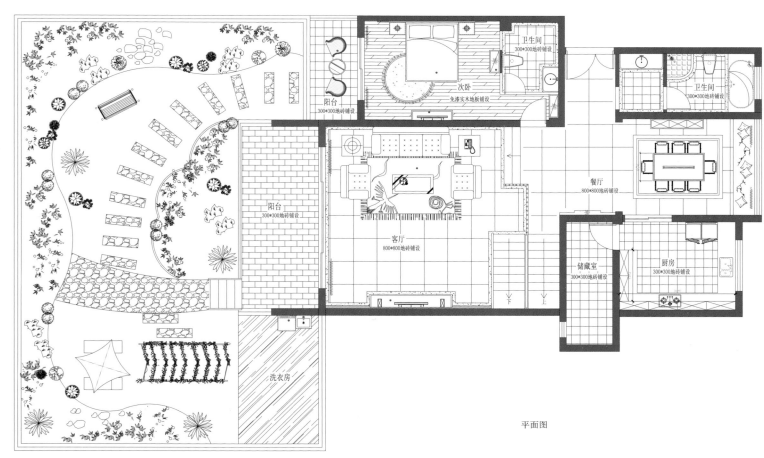

平面图

主案设计：
吕爱华 Lv Aihua
博客：
http:// 310769.china-designer.com
公司：
北京尚界装饰有限公司
职位：
首席设计师

奖项：
2009全国室内空间环境艺术大赛入围奖
2009全国十佳配饰设计师
2010年度金堂奖全国住宅公寓优秀设计
2010年度京城十大设计名师
2011年度金堂奖全国住宅公寓十佳设计

北京亦庄私墅——云淡风轻
Gentle Wind and Thin Cloud

A 项目定位 Design Proposition
业主喜欢欧洲人文、喜欢自然舒适的生活方式，但又不想让自己的家局限于某种特定风格，还喜欢原木、砖、石等天然素材。我把他们想要的家居环境定义为自然主义和乡村风格的混搭格调。

B 环境风格 Creativity & Aesthetics
运用和谐的材质、色彩和后期软饰品将各种元素融合在一起。为的是营造一个自我而且自由悠闲的生活。

C 空间布局 Space Planning
原木的肌理、通透的格局、质朴的装饰，带来的是返璞归真的温润感。在这个设计里弱化了客厅的电视功能，西厨改建时保留了天窗，将阳光引进来。卫生间的屋顶是由三个扇面拱形相连。整体中性的色调、不同材质和风格的家具，和谐而富有变化。花园也经过精心布置，可以举办小型的家庭聚会。

D 设计选材 Materials & Cost Effectiveness
选材：灰泥、原木、棉毛织物、皮革、手绘砖。色调：以木本色、米色，为主体色。点缀蓝、灰、土红色。大地色系所营造的氛围，可以让居住者感到宁静、温暖、闲适。

E 使用效果 Fidelity to Client
项目刚竣工，业主便接连举办家庭聚会，受到业主和亲朋的高度认可。

Project Name_
Gentle Wind and Thin Cloud
Chief Designer_
Lv Aihua
Location_
Yizhuang Beijing
Project Area_
300sqm
Cost_
1,500,000RMB

项目名称_
北京亦庄私墅——云淡风轻
主案设计_
吕爱华
项目地点_
北京 亦庄
项目面积_
300平方米
投资金额_
150万元

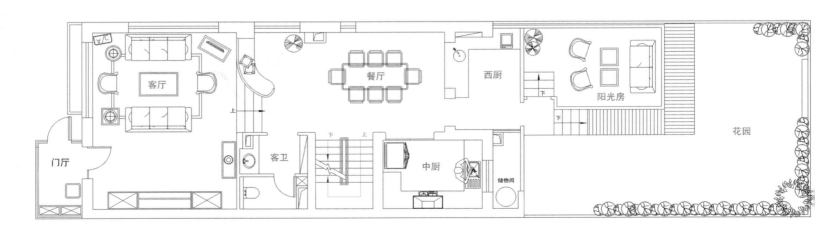

一层平面图

主案设计：
董龙 Dong Long
博客：
http:// 379561.china-designer.com
公司：
DOLONG董龙设计
职位：
设计创始人、创意总监

奖项：
2011年自然禅意（龙凤玫瑰园）第六届大金内装设计大赛金奖
2011年灰色回归（南京丹枫园）入围2011广州金堂奖年度最佳住宅奖
2011年品．尚（南京汇锦国际）IA2010 "L&D杯"南京室内设计大奖赛住宅工程类三等奖
2010年黑白流韵（融侨中央花园）2010广州金堂奖年度十佳住宅大奖
2010年黑白流韵（融侨中央花园）亚太室内设计大赛筑巢奖金奖
项目：
自然禅意（龙凤玫瑰园）
灰色回归（南京丹枫园）
黑白流韵（融侨中央花园）

东方风韵
Oriental charm

A 项目定位 Design Proposition
从画面上看美观、整体，业主使用也很方便。这两点相结合就是完美。

B 环境风格 Creativity & Aesthetics
在现代的空间和中局部点缀中式元素来体现禅意的空间。

C 空间布局 Space Planning
突破思想，围绕一个中心，使得作品整体。

D 设计选材 Materials & Cost Effectiveness
提倡环保，选用原木家具，环保材料。

E 使用效果 Fidelity to Client
业主非常满意，完全符合装修前，自己所想象的家的样子，同行看了后也给予了高度评价。

Project Name_
Oriental charm
Chief Designer_
Dong Long
Participate Designer_
Li Man
Location_
Changzhou Jiangsu
Project Area_
500sqm
Cost_
1,200,000RMB

项目名称_
东方风韵
主案设计_
董龙
参与设计师_
李漫
项目地点_
江苏省 常州市
项目面积_
500平方米
投资金额_
120万元

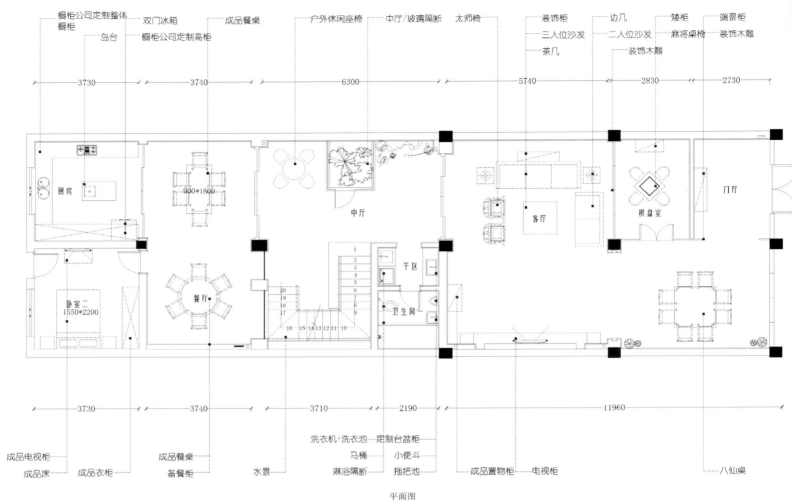

橱柜公司定制整体 双门冰箱 成品餐桌 户外休闲座椅 中厅/玻璃隔断 太师椅 装饰柜 边几 矮柜 端景柜
橱柜
岛台 橱柜公司定制高柜 三人位沙发 二人位沙发 麻将桌椅 装饰木雕
茶几 装饰木雕 装饰木雕

3730　　　　3740　　　　　6300　　　　　5740　　　2830　　2730

厨房

900*1800

中厅 客厅 棋盘室 门厅

干区

餐厅 卫生间

卧室二
1550*2200

3730　　　　3740　　　3710　　2190　　　　11960

洗衣机+洗衣池 定制台盆柜
马桶 小便斗
成品电视柜 成品餐桌 淋浴隔断 拖把池
成品床 成品衣柜 备餐柜 水景 成品置物柜 电视柜 八仙桌

平面图

主案设计：
汪晖 Wang Hui
博客：
http:// 461736.china-designer.com
公司：
湖南自在天装饰设计工程有限公司
职位：
创意总监

奖项：
2008年 中国国际室内设计双年展"金奖"
2010年 中国室内设计周陈设艺术晶麒麟奖
2010年 "金堂奖"中国年度室内设计评选
年度十佳公共空间设计作品
2011年 海峡两岸四地室内设计大赛商业类
金奖

项目：
京绣会所
天使之国
冷酷仙境展厅设计
自在天高端设计会所
天空之城住宅设计

似水年华
Perfect time

A 项目定位 Design Proposition
美丽会所总会释放很多不安分的梦想。

B 环境风格 Creativity & Aesthetics
这一次，这梦想穿上了古装。

C 空间布局 Space Planning
如何想象郎世宁初次见到东方美女的心情，只能从踏进这个会所去体会。

D 设计选材 Materials & Cost Effectiveness
所以我们除了用金碧辉煌的材质来传达一种骄傲，更多是把中国的古老文化以故事的形式（如《西厢记》）呈现在四壁。

E 使用效果 Fidelity to Client
在让大家仔细品味的同时，重现郎世宁当时的那份惊艳。

Project Name_
Perfect time
Chief Designer_
Wang Hui
Location_
Guangzhou Guangdong
Project Area_
1,700sqm
Cost_
4,400,000RMB

项目名称_
似水年华
主案设计_
汪晖
项目地点_
广东 广州
项目面积_
1700平方米
投资金额_
440万元

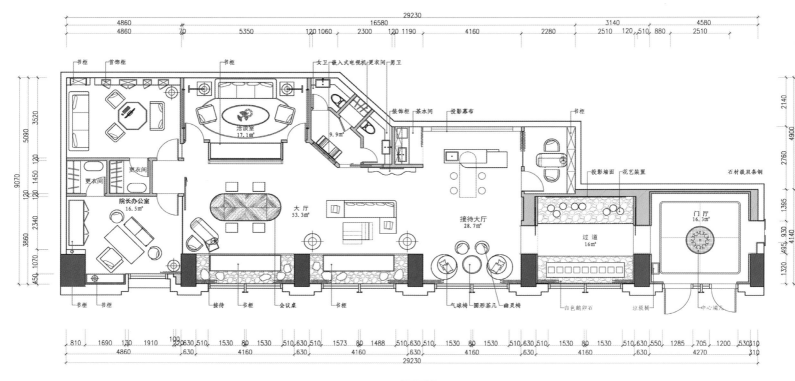

一层平面图

主案设计：
吴滨 Wu Bin
博客：
http:// 493030.china-designer.com
公司：
香港无间建筑设计有限公司
职位：
设计总监

奖项：
2011年金堂奖中国室内设计年度十佳样板间/售楼处设计
2008年 亚太室内设计双年大奖赛铜奖、佳作奖
2008年 IC.WARD2008金指环-全球室内设计大赛会所类金奖

项目：
波尔多红酒庄园
波特曼上海建业里
金地天境
建发江湾萃
华润新鸿基万象城会所

上海皇都花园别墅
Imperial Garden, Shanghai

A 项目定位 Design Proposition

"家应该可以与主人一起成长"。一个家在不同时期可以有不同的呈现，展现使用者不同的生活情怀。为此，这套住宅设计以"GALLERY——画廊"为主题创意概念，让家的空间从装修到家具，从装饰到陈列，无不展现出一个"画廊"的百变魅力。

B 环境风格 Creativity & Aesthetics

设计师不墨守成规，在充分符合空间人体工学与使用舒适度的基础上，以近乎魔方的创想，让设计风格成为无界限的艺术。在规律或不规则中进行变化，展现使用者本身的心境故事。整个空间以白色为主基调，空间环境随心而动。时而水墨淋漓，时而春意盎然，一切都是最自然的表现，却都带着人生历练的生活印记，每个地方都有心情的故事，让风格成为"幸福感"独有的催化剂。

C 空间布局 Space Planning

"幸福感"的回忆与追续，成为空间布局的要点。整个住宅保留了大部分的建筑结构，充分利用了住宅落地窗通透的特点，将住宅外绿树成荫的美景借入住宅，成为住宅景色的一部分，又考虑到使用中的私密性。每个空间布局都以"幸福感"结合"GALLERY"的创意思维，将空间变得充满情趣，承载着使用者的情感或故事。

D 设计选材 Materials & Cost Effectiveness

多样化的材质与机理，让空间呈现出别样生活故事与情怀。在白色的日光下，地毯的图案，纯白的基调，深浅起伏中幻化为轻轻涌动的浪花，在安静中透着平和与温馨。而墙上的现代水墨真迹，既是一种艺术投资，又是表达近期生活的感悟。

E 使用效果 Fidelity to Client

这是一种"心随万境转"的新空间演绎艺术。住宅的环境可以随心而动，变幻出不一样的风格与人生情怀。这种装饰手法的最高境界让心人合一，并与空间、陈设艺术有机的构成整体。

Project Name_
Imperial Garden, Shanghai
Chief Designer_
Wu Bin
Participate Designer_
F
Location_
Minhang Shanghai
Project Area_
500sqm
Cost_
5,000,000RMB

项目名称_
上海皇都花园别墅
主案设计_
吴滨
参与设计师_
香港无间设计精英团队
项目地点_
上海 闵行区
项目面积_
500平方米
投资金额_
500万元

平面图

主案设计：
易永强 Yi Yongqiang
博客：
http:// 811684.china-designer.com
公司：
广州市柏舍装饰设计有限公司
职位：
首席设计师

奖项：
2009 荣获第三届广州装饰设计大赛，住宅空间类别"银奖"
2011 金外滩方案类别，优秀奖
2012 金外滩方案类别，优秀奖
2012 "新中源"杯亚洲室内设计大奖赛，中国区选拔赛，优胜奖

项目：
佛山佛罗伦斯柏悦湾9栋301单元样板间

阳江阳光马德里D型别墅
YANG GUANG MADELI VILLA D#

A 项目定位 Design Proposition

鉴于本案的别墅户型面积不大，因此，如何体现奢华、高品质但不失空间利用率，以及风格定位和布局形式，都是该项目的设计关键，适合当地市场品味的东方意韵及适合空间的简洁大方的处理手法，是我们针对此项目设计的形式方向。

B 环境风格 Creativity & Aesthetics

在空间表现的风格形式上，欲将新东方风格做好的情结给予我们新的灵感。因此，这次作品的表现形式与传统较为不同，我们摒弃了传统空间对符号的特殊性的刻画，着重用意识形态传递东方的格局神韵，希望以此寓以传统东方的抽象空间状态。

C 空间布局 Space Planning

在可调控的室内空间范围内，尽可能地往"开"的方向思考。也通过对日常使用功能的"合"的整理，从而使空间的"面"、"体"关系更完整，空间关系更合理，视觉效果更开敞。

D 设计选材 Materials & Cost Effectiveness

该项目并没选取特别昂贵的材料，材料的色调亦较为偏深，而特别的地方是我们选用了一种传统中式比较排斥的黑色纱纺，即便这引起了非议，我们尝试将这代表着东方神秘感的黑色控制到一个可接受的程度。

E 使用效果 Fidelity to Client

该项目投入使用后，市场出现强烈的反响，对空间较为偏深调的市场的接纳，更超出我们对市场的预期。阳江客户更能接受新鲜的事物，在空间面积的利用上，对比另一套面积更大的单位，客户反倒觉得本案的户型面积更大，我们在户型的布局调整上，还是比较成功的。

Project Name_
YANG GUANG MADELI VILLA D#
Chief Designer_
Yi Yongqiang
Participate Designer_
Zeng Guoqiang
Location_
Yangjiang Guangdong
Project Area_
480sqm
Cost_
1,440,000RMB

项目名称_
阳江阳光马德里D型别墅
主案设计_
易永强
参与设计师_
曾国强
项目地点_
广东 阳江
项目面积_
480平方米
投资金额_
144万元

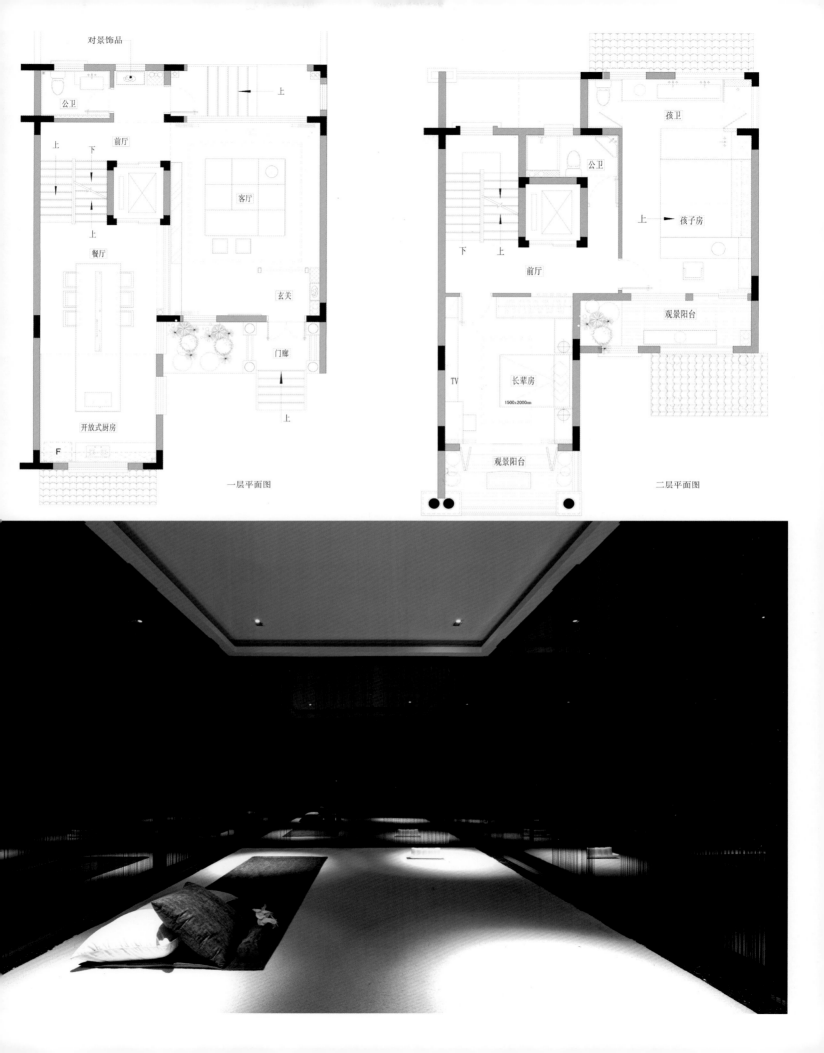

对景饰品

公卫

前厅

上 下

上

餐厅

客厅

玄关

开放式厨房

F

门廊

上

上

一层平面图

后卫

公卫

前厅

上 孩子房

下 上

TV

长辈房

1500x2000㎜

观景阳台

观景阳台

二层平面图

主案设计：
吕靖 Lv Jing
博客：
http:// 813153.china-designer.com
公司：
杭州大麦室内设计有限公司
职位：
室内设计总监

项目：
绿城宁波研发园
杭州天元大厦
台州蒲公英酒店

肆意生长的中式生活
Wanton growth of Chinese life - Continue to China

A 项目定位 Design Proposition
年轻一代对传统文化的传承和新视角。

B 环境风格 Creativity & Aesthetics
挖掘更多中式传统文化，传统家具的改良，更加适用于现代人的生活。

C 空间布局 Space Planning
不同功能空间绽放小不同，追求更多感官享受。

D 设计选材 Materials & Cost Effectiveness
简单材料的肌理化，符号化运用，装饰艺术功能化运用。

E 使用效果 Fidelity to Client
业主是有海外留学背景的80后，非常贴合想要的生活场景。

Project Name_
Wanton growth of Chinese life - Continue to China
Chief Designer_
Lv Jing
Location_
Hangzhou Zhejiang
Project Area_
350sqm
Cost_
2,300,000RMB

项目名称_
肆意生长的中式生活
主案设计_
吕靖
项目地点_
浙江 杭州
项目面积_
350平方米
投资金额_
230万元

一层平面图

主案设计：
孙冲 Sun Chong
博客：
http:// 819627.china-designer.com
公司：
昆明中策装饰（集团）有限公司
职位：
昆明中策装饰主任设计师

职称：
中国建筑装饰协会高级住宅室内设计师
云南省装饰协会会员
奖项：
云南印象（实例）中国室内设计大赛双年展入围奖
盛高大城（实例）——（雅）2011年金堂奖年度优秀住宅公寓作品奖

项目：
滇池高尔夫
滇池卫城橡树庄园
阳光海岸
广基海悦
香槟小镇

撷古绎今——昆明市世纪城
Retrieval the ancient and sort out the modern

A 项目定位 Design Proposition
本案用现代的手法和材质还原古典气质，撷谷绎今。

B 环境风格 Creativity & Aesthetics
将中国元素融入整体空间规划与布局，打造一个充满理性和智慧的现代人文家居环境。

C 空间布局 Space Planning
把相异功能空间统一风格，各自视为独立的风景，细节处注重中式元素的表达，轻松而又蕴含深深的韵味，静待细品。

D 设计选材 Materials & Cost Effectiveness
客厅电视背景的中式花格与家具充满东方格调却又不失现代感，中式的窗棂把室外的阳光、树影借到了室内，与山水纹案的石材背景相辉映，安静清幽。

E 使用效果 Fidelity to Client
扶梯而上，卧室色调清丽淡雅，让家回归休憩静心的本质。书房窗畔的书桌、兰花，表明了主人的恋恋书香。

Project Name_
Retrieval the ancient and sort out the modern
Participate Designer_
Zhang Jie, Zhang Ting
Location_
Yunnan Kunming
Project Area_
350sqm
Cost_
2,200,000RMB

项目名称_
撷古绎今——昆明市世纪城
主案设计_
孙冲
参与设计师_
张杰、张婷
项目地点_
云南 昆明
项目面积_
350平方米
投资金额_
220万元

一层平面图

主案设计：
黄丽蓉 Huang Lirong
博客：
http:// 819846.china-designer.com
公司：
昆明中策装饰（集团）有限公司
职位：
设计总监

奖项：
2006年中国室内设计大赛暨22年展云南赛区银奖
2011年云南省第九届家居博览会设计作品赛铜奖
2011年中国室内设计金堂奖评选为年度优秀住宅公寓设计作品

项目：
挪威森林
滇池名古屋
滇池卫城
新亚洲体育城
清水木华
高天流云
野鸭湖度假小区

昆明奥城橙郡
KUNMING ORANGE PREFECTURE OF AOCHEN

A 项目定位 Design Proposition
在满足正常居住的基础上，充分提高业主的身份地位。

B 环境风格 Creativity & Aesthetics
风格设计方面结合业主的品味，以独特自我的手法诠释之。

C 空间布局 Space Planning
在空间布局上既考虑到动静分区的问题，又考虑到不同的区域有不同的设计要求，每个区域均保持着适宜的尺度，既独立又相互联系，避免了空间与空间之间的功能性干扰。

D 设计选材 Materials & Cost Effectiveness
环保、低碳的设计。

E 使用效果 Fidelity to Client
结合业主的品味和功能性上的要求，业主非常满意，评价很高。

Project Name_
KUNMING ORANGE PREFECTURE OF AOCHEN
Chief Designer_
Huang Lirong
Location_
Kunming Yunnan
Project Area_
350sqm
Cost_
1,500,000RMB

项目名称_
昆明奥城橙郡
主案设计_
黄丽蓉
项目地点_
云南 昆明
项目面积_
350平方米
投资金额_
150万元

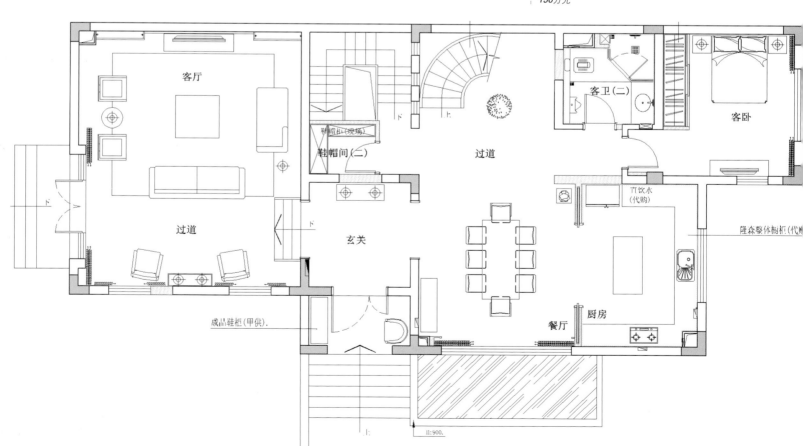

一层平面图

主案设计：
Arnd Christian Müller
博客：
http:// 820066.china-designer.com
公司：
艺赛（北京）室内设计有限公司
职位：
设计总监

奖项：
火星时代第二届室内设计大赛二等奖，
金堂奖2011中国室内设计年度评选别墅空间
十佳

项目：
银杏别墅
安娜的家
别墅8201
阿莱克斯的家
仓鑫的工作室
盈科中心大堂

北京名都园2257号别墅
Villa 2257

A 项目定位 Design Proposition

家是一个进行时态，房子的装饰与丰满是伴随着时间和居住者的生活而进行的，住进一个所有都已"完成"的房子，则会没有主动选择性，也没有后续完善的乐趣。

B 环境风格 Creativity & Aesthetics

欧式的简约与中式艺术的混搭，使得整个居住环境风格质朴却不失大气。

C 空间布局 Space Planning

整个别墅在设计上优先考虑功能和使用的需求，合理的空间布局，使得日常的生活空间合理，有序。

D 设计选材 Materials & Cost Effectiveness

通过界面的材料和空间的配饰使空间灵动起来。楼梯间的金色马来漆让人眼前一亮，优质的黑胡桃木地板，让人踩上去，都感觉与众不同。

E 使用效果 Fidelity to Client

舒适的居住环境，让身在异乡的主人从未感觉到寂寞，只有一屋满满的温馨。

Project Name_
Villa 2257
Chief Designer_
Arnd Christian Müller
Participate Designer_
Qi Xinghong
Location_
Shunyi Beijing
Project Area_
300sqm
Cost_
3,000,000RMB

项目名称_
北京名都园2257号别墅
主案设计_
Arnd Christian Müller
参与设计师_
齐兴红
项目地点_
北京市 顺义区
项目面积_
300平方米
投资金额_
300万元

主案设计：
吴力涛 Wu Litao
博客：
http:// 822497.china-designer.com
公司：
广州市韦格斯杨设计有限公司
职位：
设计总监

奖项：
2011年度获广州建筑装饰行业协会优秀青年
建筑装饰设计师
佛山钜隆凤樵圣保E1型27座201单元示范单
位获第三届广州建筑装饰设计大赛"靓家居
杯"住宅空间－金奖
佛山九鼎慧港国际公寓F2户型示范单位获
2008第三届广东环境艺术设计大赛综合空间-

优秀奖、金装榜－08年广州住宅装修设计大赛
金奖
项目：
中海•佛山千灯湖一号会所　　美的•君兰新区一期一区D型示范单
百嘉信•海南七仙伴月庭院式别墅
南沙海的城酒店　　　　　　　美的•君兰新区一期一区大堂
上海佳兆业•太仓水岸华府会所

海南保亭七仙伴月500别墅
Seven Hills Spring Resort Villa Type 500

A 项目定位 Design Proposition
500型是项目中为数不多的大户型别墅，第一座建成的500型既是交标展示板房，亦因其拥有最美、最开阔的景观，故同时，将该户型定位项目的销售中心功能使用。

B 环境风格 Creativity & Aesthetics
500型拥有宽敞的前院与景观开阔的泳池园林，而客厅、餐厅、茶室、主卧，两间各自独立的次卧套房及独立的佣人工作区等各功能空间，呈"U"型将中心泳池园林包围，各功能空间与泳池皆能仰望仙气缭绕的七仙岭主峰。各卧室都带有相对独立的园林式温泉泡池，这些泡池都以园林绿化作为间隔，形成天然的屏风，使其拥有别样的私隐性。

C 空间布局 Space Planning
500型的设计风格于两个户型中层比较，偏向奢华的空间。
与客餐厅形成中轴延伸的泳池两侧分布着卧室区域，各卧室都以大落地玻璃趟门与泳池园林形成最小的距离，令室内与环境最大限度地融为一体。

D 设计选材 Materials & Cost Effectiveness
入门经过前院蜿蜒的水景园林进入到宽敞高挑的客餐厅，这里拥有6米高的塔状天花，以浓厚的东南亚麻与细木条搭建,配以华丽的菠萝状水晶吊灯，衬以开阔的落地玻璃趟门，粗狂的火山岩主幅与干净的天然石地面，将地城风格奢华的一面尽数呈现于人前，给人带来尊贵的现场体验。

E 使用效果 Fidelity to Client
合理的布局赢得客户的欣赏。

Project Name_
Seven Hills Spring Resort Villa Type 500
Chief Designer_
Wu Litao
Participate Designer_
Ou Weiqin
Location_
Sanya Hainan
Project Area_
500sqm
Cost_
3,600,000RMB

项目名称_
海南保亭七仙伴月500别墅
主案设计_
吴力涛
参与设计师_
区伟勤
项目地点_
海南省 三亚市
项目面积_
500平方米
投资金额_
360万元

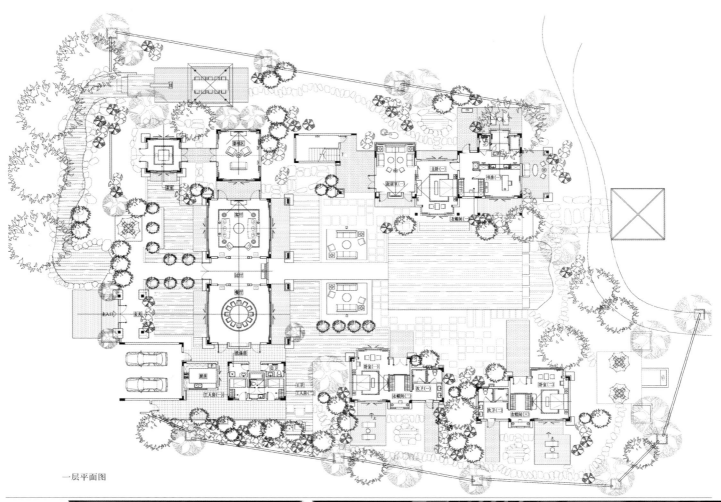

一层平面图

主案设计:
刘增申 Liu Zengshen
博客:
http://822799.china-designer.com
公司:
重庆宗灏装饰工程有限公司
职位:
设计总监

奖项:
2011年CIAC顶级高端别墅设计师
2011年重庆龙湖香颂别墅里斯戴尔铜奖
2011年重庆龙湖蓝湖郡别墅筑巢奖二等奖
2011年重庆龙湖江与城别墅艾特奖入围奖

项目:
华天大酒店公建部分
潮州春大酒店
紫晶休闲会所
白云机场宾馆旅客服务综合楼
绿荫阁咖啡厅海珠店
司法部广州法律培训中心
A8酒吧

重庆复地别院
chongqing fudi villa

A 项目定位 Design Proposition
传统的地中海风格或美式风格已屡见不鲜，而如何通过固有的空间布局、独特的设计组合与现代人的文化底蕴相结合，体现家居生活的自在且步步宜景，才是本案的核心亮点。本案配合室内中西混搭风格，为主人打造一个多元素的高端私人住宅。

B 环境风格 Creativity & Aesthetics
作品主要以欧洲古典文化艺术的发源地托斯卡纳的元素，在石材、浮雕、雕花铁艺、等典型符号勾勒出休闲、稳重、富足的佛罗伦萨风情。佛罗伦萨注重舒适与使用，享受生活的态度被完美的体现；然而这并不是本作品的全部述求；在这个作品里，因地制宜，加入了充满艺术性的东方元素在局部点缀。托斯卡纳的硬装空间里，搭配个中式和美式的家具，饰品，画龙点睛，别有一番韵味；色彩用深棕色的木作搭配中式的檀木色，空间稳重，大气；在软装上搭配贵族瓷器蓝色和西洋红相互辉映，让整个空间有整体，有细节，有韵味。

C 空间布局 Space Planning
空间布局上，欧式开放厨房、空间开阔的客厅，与亲朋好友聚餐、会客，生活各享尽显居家惬意与品质，细节上增添中式元素点缀，衬托出别样的灵动风情。由上而下的收藏室，用了大量的中式元素，体现主人的文化内涵。卧室、书房独立分隔，领略人生豁达境界；动静分区井然有序，自然从容大度。

D 设计选材 Materials & Cost Effectiveness
环保、低碳的设计。

E 使用效果 Fidelity to Client
结合业主的品味和功能性上的要求，业主非常满意，评价很高。

Project Name_
chongqing fudi villa
Chief Designer_
Liu Zengshen
Location_
Jiangbei Chongqing
Project Area_
450sqm
Cost_
3,000,000RMB

项目名称_
重庆复地别院
主案设计_
刘增申
项目地点_
重庆 江北区
项目面积_
450平方米
投资金额_
300万元

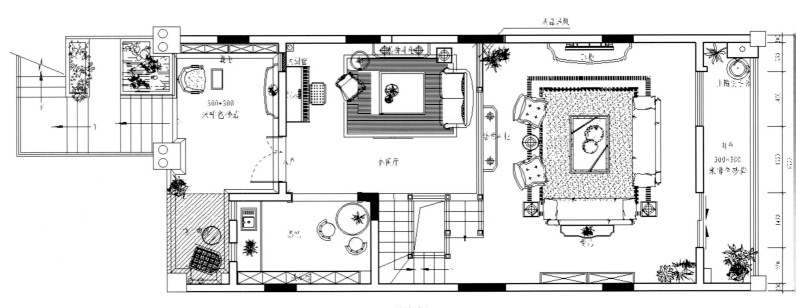

一层平面图

主案设计：
李迎 Li Ying
博客：
http:// 846269.china-designer.com
公司：
李迎工作室
职位：
总监

奖项：
2010年成都设计简约金奖
成都十大优秀设计师

项目：
欧城住宅样板
华润翡翠城住宅样板
三圣乡庄园
龙湖私人酒店
浙商小额贷款办公楼

成都翡翠城
JADE CITY

A 项目定位 Design Proposition

空间被定义为略带一丝禅意的港式极简现代风格，极简主义的精神，讲求质感与其蕴育而生的优雅，与业主追求简约真实，生活自由的心情不谋而和。而一丝禅意又展现出平静祥和，将思想带回本真的美好意愿。

B 环境风格 Creativity & Aesthetics

对整个空间来说，色彩的拿捏，线条利落简洁，富含设计或哲学意味但不夸张，墙面用大理石堆砌而成，形成了自然肌理，衬托了整个空间的独特品味，给人一个舒适温馨的居住环境。

C 空间布局 Space Planning

在布局中，没有太多繁杂的装饰，简洁明了，剔除多余的元素，色彩，形状和纹理，用家具的不同色彩把整个空间划分得干净利落。黑色，银色，灰色，米黄色等原色，无印花，无图腾给整个空间带来另一种低调宁静感，沉稳而内敛。

D 设计选材 Materials & Cost Effectiveness

木质和皮质是家具基本材质，木质都为纯实木。线条与颜色简单。但是功能可不简单，都是多功能的。浴室运用大理石堆砌而成的墙面，提升了亮点，体现自然风情，吊顶，灯，色彩与其它饰品搭配让整个空间宁静不失淡雅。

E 使用效果 Fidelity to Client

业主非常满意。

Project Name_
JADE CITY
Chief Designer_
Li Ying
Location_
Chengdu Sichuan
Project Area_
256sqm
Cost_
1,200,000RMB

项目名称_
成都翡翠城
主案设计_
李迎
项目地点_
四川 成都
项目面积_
256平方米
投资金额_
120万元

主案设计：
余颢凌 Yu Haoling
博客：
http:// 849556.china-designer.com
公司：
成都业之峰装饰工程有限公司
职位：
首席设计师

奖项：
2011年成都市第十二届建筑装饰空间艺术设计大赛家装方案类银奖
2011年成都市第十二届建筑装饰空间艺术设计大赛家装方案类佳作奖
IAI AWARDS2011绿色设计全球大奖暨自然风—亚太设计精英邀请赛住宅空间类银奖
2011年第二届中国国际空间环境艺术设计大赛（筑巢奖）获住宅空间方案类优秀奖

项目：
华侨城别墅
麓山国际社区别墅
雅居乐别墅
龙湖长桥郡别墅
中海国际央墅

成都龙湖长桥郡
ChengduLongfor·Bridge County

A 项目定位 Design Proposition

业主非常清楚自己的需求和喜好，并且和设计师配合，在设计落地之前就将家具和陈设品选定，所以很快也很直接就做好了该案例的设计定位。

B 环境风格 Creativity & Aesthetics

尊重自然、尊重环境。设计师在做该案例的时候尽可能将户外的美丽景色延伸到室内，室内室外高度融合，为业主提供一个能够自然深呼吸的家。

C 空间布局 Space Planning

极致空间应用与设计理念的统一。地下室单层100平方米的空间里，布置了尺度适宜的棋牌室、洗衣房、保姆间、视听室、酒吧、酒窖、储藏间等多用途空间，这也是让业主觉得最满意的地方。

D 设计选材 Materials & Cost Effectiveness

整套案例以美式乡村风格为主，地下室壁炉的古堡石、酒窖原滋原味的红砖、做旧炭烧木吊顶，以及蜡牛皮的做旧沙发，都表达了浓浓的怀旧美式风格，地下室视听间的茶几设计师专门为业主定制的铆钉做旧木箱茶几，上面印有泛黄的世界地图，代表着业主探索生活乐趣的足迹。

E 使用效果 Fidelity to Client

得到业主及家人的高度赞赏，也吸引了小区很多其他业主的注意。

Project Name_
ChengduLongfor·Bridge County
Chief Designer_
Yu Haoling
Location_
Chengdu Sichuan
Project Area_
330sqm
Cost_
2,400,000RMB

项目名称_
成都龙湖长桥郡
主案设计_
余颢凌
项目地点_
四川 成都
项目面积_
330平方米
投资金额_
240万元

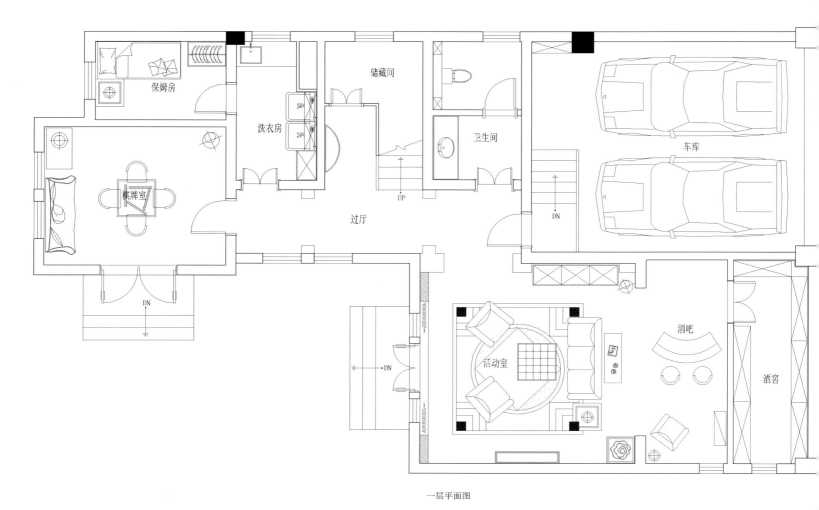

保姆房

洗衣房

储藏间

卫生间

麻牌室

过厅

UP

DN

DN

车库

DN

活动室

酒吧

酒窖

一层平面图

主案设计：
俞建荣 Yu Jianrong
博客：
http:// 1010106.china-designer.com
公司：
温州市伟业装饰有限公司
职位：
设计总监

职称：
国际建筑装饰室内设计协会（ICDA）会员
高级室内设计师
奖项：
2010年获"温州市十佳设计精英"奖
2011年获中国国际设计艺术博览会年度"十
大最具影响力设计师"称号

项目：
中央公馆
灵昆别墅（多套）
七都别墅林宅
国际花园别墅朱总
景乐居跃层
诚达大厦顶跃

灵昆别墅吴宅
Lingkun villa Wu Zhai

A 项目定位 Design Proposition
属私家民房自建性项目，对小型私人别墅能提供些参考。

B 环境风格 Creativity & Aesthetics
别墅外观采用花岗岩湿贴。整体性强，耐久。与园区的景观融为一体。

C 空间布局 Space Planning
采用大宅的中轴线对称设计手法。空间分布上功能明确，动静分明。以楼梯为主轴动线，贯穿始终。

D 设计选材 Materials & Cost Effectiveness
一楼，二楼公共区域的地面和墙面采用莎安娜大理石。卫生间用大理石。阳台采用廉价但质优的仿古砖拼花铺贴。房间采用实木地板。

E 使用效果 Fidelity to Client
无论是作品的外观还是室内装修，在当地争相效仿，赢得良好的口碑。

Project Name_
Lingkun villa Wu Zhai
Chief Designer_
Yu Jianrong
Participate Designer_
Chen Jinglun
Location_
Lingkundao Wenzhou Zhejiang
Project Area_
600sqm
Cost_
6,000,000RMB

项目名称_
灵昆别墅吴宅
主案设计_
俞建荣
参与设计师_
陈敬伦
项目地点_
浙江 温州 灵昆岛
项目面积_
600平方米
投资金额_
600万元

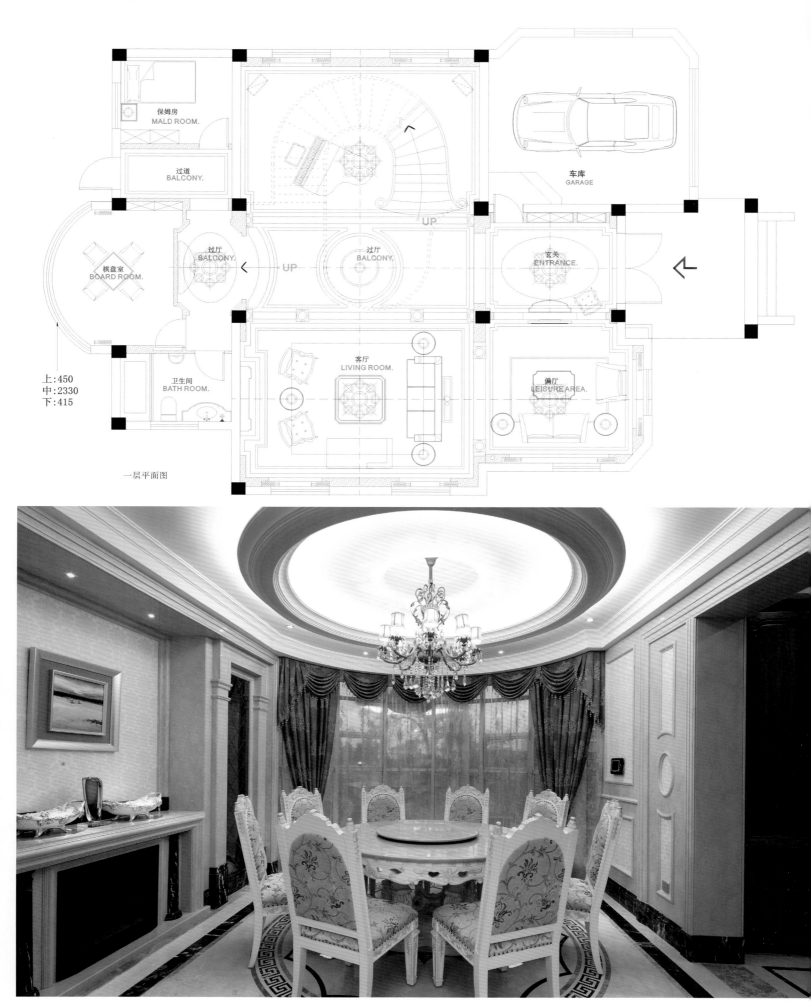

保姆房
MALD ROOM.

过道
BALCONY.

车库
GARAGE

棋盘室
BOARD ROOM.

过厅
BALCONY.

过厅
BALCONY.

玄关
ENTRANCE.

UP

UP

上：450
中：2330
下：415

卫生间
BATH ROOM.

客厅
LIVING ROOM.

偏厅
LEISURE AREA.

一层平面图

主案设计：
刘飞 Liu Fei
博客：
http:// 1010132.china-designer.com
公司：
汉象建筑设计事务所
职位：
设计总监

项目：
红石滩会所 （嘉华山庄）
国信上城 （徐州）
百利办公室 （上海）
新聚仁上海总部
万福投资上海万福会所

上海观庭别墅
Shanghai Courtyard Villa

A 项目定位 Design Proposition

"小隐在山林，大隐于市朝。"那些所谓的隐士看破红尘隐居于山林是只是形式上的"隐"而已，而真正达到物我两忘的心境，反而能在最世俗的市朝中排除嘈杂的干扰，自得其乐，因此他们隐居于市朝才是心灵上真正的升华所在。以东南亚为主题设计和建筑的外形结合，针对中高端市场。

B 环境风格 Creativity & Aesthetics

设计师将东方本土特有的建筑形式和内涵来营造室内空间，拉开了空间的视觉效果，地面和墙面尽量保持干净，整体的风格则大量通过软装配饰来体现。

C 空间布局 Space Planning

各个空间的划分，设计师则通过顶部的不同来体现空间不同的功能。设计师带来的是深层次、文化和哲学的反思，也体现出设计师对于泛东方文化的提倡，并且，根据甲方要求没有太多地改动原建筑的布局。

D 设计选材 Materials & Cost Effectiveness

以东南也为主题，材料也选择在东南亚很常见的teawood。

E 使用效果 Fidelity to Client

风格比较明确，再加上本土的元素进行融合，更容易让人接受。

Project Name_
Shanghai Courtyard Villa
Chief Designer_
Liu Fei
Location_
Huangpu Shanghai
Project Area_
600sqm
Cost_
2,000,000RMB

项目名称_
上海观庭别墅
主案设计_
刘飞
项目地点_
上海 黄浦区
项目面积_
600平方米
投资金额_
200万元

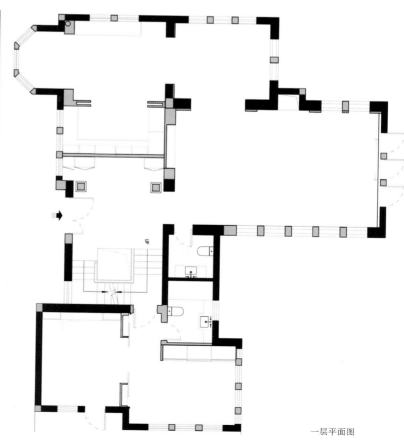

一层平面图

主案设计：
李翔 Li Xiang
博客：
http:// 1011980.china-designer.com
公司：
西安擎翼室内设计有限公司
职位：
主创设计师

奖项：
2012年陕西"金巢奖"大户型设计金奖

项目：
宝鸡华晨地产售楼部样板间
西安天朗地产售楼部样板间
鸿基紫韵
龙湖盛景别墅

典藏于时光中的完美生活
Perfect Life Treasured in Time

A 项目定位 Design Proposition
把重点放在了空间感和业主的生活体验上面。

B 环境风格 Creativity & Aesthetics
本案最重要的是颠覆了传统家装对造型和材质的重视。

C 空间布局 Space Planning
通过空间的改造和灯光的运用使得整体空间感保持统一，主卧室卫浴和休息区给业主创造了非常放松的空间和生活。

D 设计选材 Materials & Cost Effectiveness
材料上没有运用昂贵的材料，使用的都是传统质朴的材料去营造一个经得住时间考验的空间。

E 使用效果 Fidelity to Client
给业主营造了非常舒适和小资的生活情调。

Project Name_
Perfect Life Treasured in Time
Chief Designer_
Li Xiang
Participate Designer_
Jiang Li
Location_
Xi'an Shanxi
Project Area_
350sqm
Cost_
2,600,000RMB

项目名称_
典藏于时光中的完美生活
主案设计_
李翔
参与设计师_
姜理
项目地点_
陕西 西安
项目面积_
350平方米
投资金额_
260万元

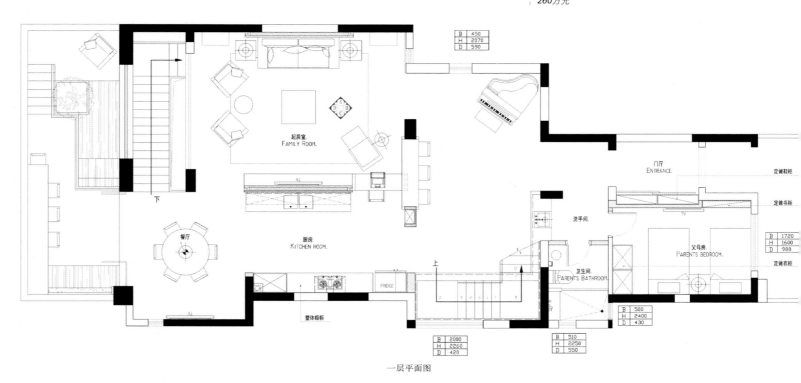

一层平面图

主案设计：
史湛铭 Shi Zhanming
博客：
http:// 1014783.china-designer.com
公司：
尚层装饰（北京）有限公司
职位：
设计总监

奖项：
2012年第五届中国十大配饰设计师
2011年第二届中国国际空间环境艺术设计大
赛"筑巢奖"银奖
2010北京室内装饰行业优秀设计师

项目：
颐和园著
东方普罗旺斯
龙湖滟澜山
龙湾别墅
珠江壹仟栋

北京君山高尔夫别墅
JUNSHAN Golf Villa-Beijing

A 项目定位 Design Proposition
本案经典的传递出纯粹而浪漫的自然田园风情，满足了人们细腻，温婉的情感需要。

B 环境风格 Creativity & Aesthetics
本案属远离城市喧嚣的度假型别墅，以舒适田园风格为主线的空间，点缀了一些精致典雅的时尚元素。

C 空间布局 Space Planning
布局规整有序，动静分区明确，娱乐空间，生活空间贯穿联系脉络清晰，空间的私密性和连贯性都得到了很好的诠释。

D 设计选材 Materials & Cost Effectiveness
自然，个性，品质，环保是选材方案的亮点，家具布置与空间密切配合，使室内布置连贯，有序，富有时代感和整体美。

E 使用效果 Fidelity to Client
业主非常满意。

Project Name_
JUNSHAN Golf Villa-Beijing
Chief Designer_
Shi Zhanming
Participate Designer_
Liu Yuepeng
Location_
Miyun Beijing
Project Area_
600sqm
Cost_
2,800,000RMB

项目名称_
北京君山高尔夫别墅
主案设计_
史湛铭
参与设计师_
刘悦鹏
项目地点_
北京 密云县
项目面积_
600平方米
投资金额_
280万元

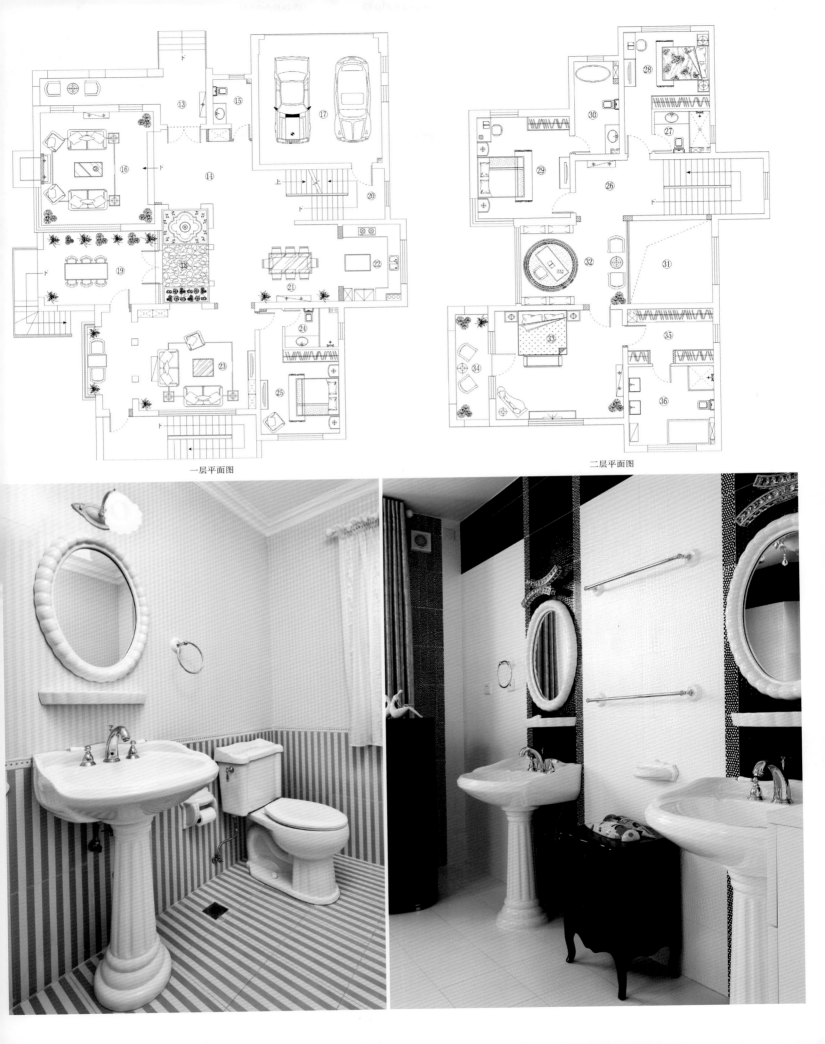

一层平面图   二层平面图

主案设计:
张振 Zhang Zhen
博客:
http:// 1014975.china-designer.com
公司:
北京三佳七装饰设计有限责任公司
职位:
设计总监

奖项:
2009中国室内空间环境艺术设计大赛办公空间（工程类）二等奖
2010年住宅空间工程类"筑巢奖"获银奖
2011年商业空间商业类"筑巢奖"获银奖

项目:
内蒙北方酒店
淄博上水集团办公楼
洛阳中科锂电办公室
固安金海城售楼处、样板间
伊顿国际双语学校北京总部

北京优山美地
Beijing Yosemite

A 项目定位 Design Proposition

业主是一个颇有家居想法和懂得享受生活的成功人士，在大城市的远郊买下一栋别墅作为自己的私人养生会所，将原有别墅的内部结构进行了很大的调整，打造成业主心中的美丽庄园。

B 环境风格 Creativity & Aesthetics

因为业主将这里定义为养生会所，设计师将整座会所风格定义为后现代简约风格，除了打造自然宁静的生活，还融入了现代时尚家具及深色实木制家具混搭。和其他现代风格有所不同的是，本案例更为精致纯粹，加上业主在欧洲定居时间比较长偏爱干净、明快又温馨简单的色彩，这栋别墅在和现代风格与中国文化完美整合后，透出了轻巧、优雅的意味，也诠释了业主无可挑剔的生活质感。

各种元素都向我们传递着欧式独特的气息。而现代家居也延续了这种充满浪漫的氛围，运用色彩明快的布艺或壁纸，充满活力的绿植、花卉，给人一种扑面而来的自然气息，让我们的心灵回归大自然。

C 空间布局 Space Planning

别墅室内设计上承袭了现代明快大气风格，采用现代手法加以简化，给人一种扑面而来的浓郁气息。所有的一切从整体上营造出一种家的静谧与甜美。不论是客厅的大气挑高，或是精致的古典家具和现代家具完美结合，加上各种独特的装饰画，窗前的一把座椅，考究的小桌也成了这里的焦点。

D 设计选材 Materials & Cost Effectiveness

自然，个性，品质，环保是选材方案的亮点，家具布置与空间密切配合，使室内布置连贯，有序，富有时代感和整体美。

E 使用效果 Fidelity to Client

业主非常满意。

Project Name_
Beijing Yosemite
Chief Designer_
Zhang Zhen
Participate Designer_
Sun Lichun, Li Ruipeng
Location_
Shunyi Beijing
Project Area_
1,100sqm
Cost_
2,800,000RMB

项目名称_
北京优山美地1-14#
主案设计_
张振
参与设计师_
孙俪春、李瑞鹏
项目地点_
北京 顺义
项目面积_
1100平方米
投资金额_
280万元

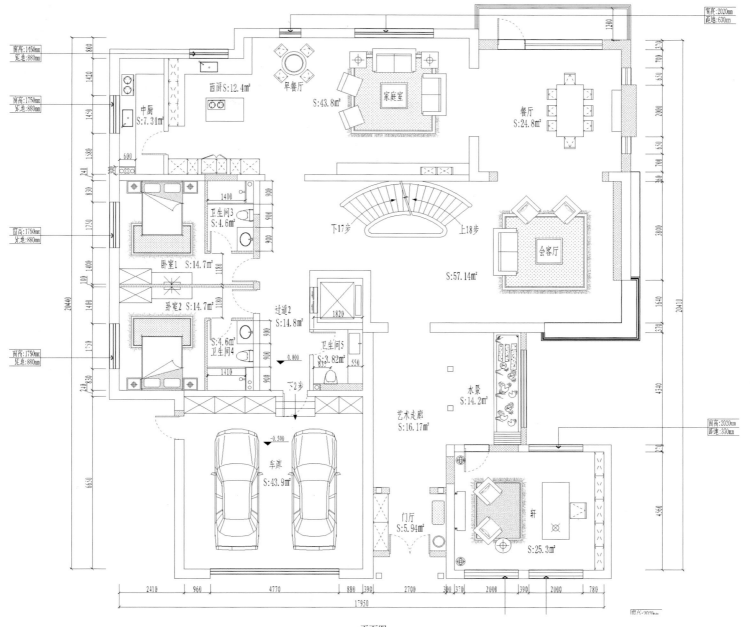

窗高:2020mm
距地:630mm

面高:1450mm
距地:880mm

面高:1750mm
距地:880mm

面高:1750mm
距地:880mm

面高:1750mm
距地:880mm

西厨 S:12.4㎡

早餐厅

家庭室

S:43.8㎡

餐厅
S:24.8㎡

中厨
S:7.31㎡

卫生间3
S:4.6㎡

下17步   上18步

会客厅

S:57.14㎡

卧室1 S:14.7㎡

卧室2 S:14.7㎡

过道2
S:14.8㎡

S:4.6㎡
卫生间4

卫生间5
S:3.82㎡

水景
S:14.2㎡

0.000

下2步

艺术走廊
S:16.17㎡

面高:2020mm
距距:330mm

-0.500

车库
S:43.9㎡

门厅
S:5.94㎡

轩

S:25.3㎡

20440
20410

2410   960   4770   880 390   2700   300 370   2000   390   2000   780

17950

平面图

主案设计：
陈鹏 Chen Peng
博客：
http:// 1015086.china-designer.com
公司：
东易日盛家居装饰集团股份有限公司
职位：
主任级设计师

奖项：
美化家居大赛优秀奖
"华耐杯"中国室内设计住宅类优胜奖

项目：
碧水庄园
优山美地
东方普罗旺斯
香山清琴山庄
西山美墅馆

北京亚澜湾水岸别墅
Jane East - Asia Beijing billows static Bay Villa

A 项目定位 Design Proposition

夫妻二人居住，第二居所，男主人喜欢中国传统文化，事业有成，经常出国。女主人年轻时尚，喜欢西式的生活方式。

B 环境风格 Creativity & Aesthetics

本案采用现代主义融合新东方。西式舒适人性化的功能设计，现代主义空间处理，融合新东方的文化精髓，打造大隐于墅的生活方式。

C 空间布局 Space Planning

西式舒适人性化的功能设计，现代主义空间处理，融合新东方的文化精髓。
挑空7米高的阳光共享大厅设计成水景休闲区，东方意境的水景恰是"明月松间照，清泉石上流"，瀑布之下设计一地台，品茗下棋，悠然自得，享受生活。
客厅与门厅间本来复杂的台阶设计被整齐化和趣味化，后现代主义的雕塑在这里找到了适合它的家。

D 设计选材 Materials & Cost Effectiveness

本案选用极具现代主义风格的中式家居材料。

E 使用效果 Fidelity to Client

现代主义融合新东方。

Project Name_
Jane East - Asia Beijing billows static Bay Villa
Chief Designer_
Chen Peng
Location_
Miyun Beijing
Project Area_
450sqm
Cost_
2,000,000RMB

项目名称_
简静东方——北京亚澜湾水岸别墅
主案设计_
陈鹏
项目地点_
北京市 密云县
项目面积_
450平方米
投资金额_
200万元

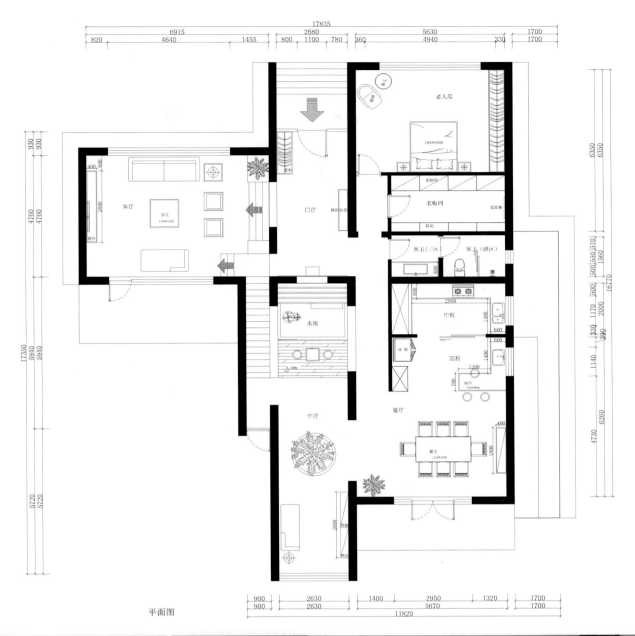

平面图

主案设计：
朱大竹 Zhu Dazhu
博客：
http:// 1015156.china-designer.com
公司：
香港A8豪宅设计事务所
职位：
首席设计师

职称：
香港A8豪宅设计事务所首席专家设计师
国家高级注册设计师
亚太设计师联盟资深设计师
奖项：
上海白玉兰奖

项目：
北京奥运会部分场馆设计
珍宝夜总汇
豪斯达娱乐城
三甲港碧海金沙旅游渡假村
北欧小镇的总体规划
汤臣高尔夫别墅
上海紫园

上海佘山别墅
碧桂园
半山别墅湖玺庄园
威尼斯花园
宝界山庄

无锡宝界山庄49号
No.49 Baojie villa wuxi

A 项目定位 Design Proposition
动线舒畅、华贵内敛、智能低碳、高端企业家。

B 环境风格 Creativity & Aesthetics
时尚、现代、先进、舒适。

C 空间布局 Space Planning
设计非常重视对其动线的规划。

D 设计选材 Materials & Cost Effectiveness
用材简洁、元素干净。

E 使用效果 Fidelity to Client
明亮开阔、华贵内敛、舒适智能、时尚完美。

Project Name_
No 49 Baojie villa wuxi
Chief Designer_
Zhu Dazhu
Participate Designer_
Ge Hong, Wang Qing, Jin Yaoqi, Hua Chenyi
Location_
Wuxi Jiangsu
Project Area_
860sqm
Cost_
10,000,000RMB

项目名称_
无锡宝界山庄49号
主案设计_
朱大竹
参与设计师_
葛红、王卿、金尧琪、华晨怡
项目地点_
江苏 无锡
项目面积_
860平方米
投资金额_
1000万元

主案设计：
邓福京 Deng Fujing
博客：
http:// 1015158.china-designer.com
公司：
北京元洲装饰有限责任公司
职位：
主任设计师

奖项：
亚太室内设计大奖赛
美化家居奖
元洲杯全国设计大奖赛铜奖
全国百强设计师

项目：
保利垄上
麦卡伦地
阿凯笛亚庄园
自在香山
燕西台
玫瑰御园

北京阿凯笛亚庄园34-03栋
Beijing, KaiDiYa manor 34-03 building

A 项目定位 Design Proposition
本案设计为美式混搭风格，整体装修档次较高，体现身份和品位。

B 环境风格 Creativity & Aesthetics
没有追寻一种固定格式，而是根据业主的品位和文化要求，做了大胆的设计，把不同的文化相融进来。

C 空间布局 Space Planning
大胆的改造，特别是卫生间的改造很是尊贵，都是套房式独立卫生间。

D 设计选材 Materials & Cost Effectiveness
整体选材素雅，局部搭配色彩充分体现业主的品位和身份，特别是墙面壁布的纹理丰富，色彩个性。

E 使用效果 Fidelity to Client
在本小区给我公司带来很多的回头客户。

Project Name_
Beijing, KaiDiYa manor 34-03 building
Chief Designer_
Deng Fujing
Participate Designer_
Wang Junqiang, Han Yuanduo
Location_
Shunyi Beijing
Project Area_
485sqm
Cost_
2,750,000RMB

项目名称_
北京阿凯笛亚庄园34-03栋
主案设计_
邓福京
参与设计师_
王君强、韩元朵
项目地点_
北京市 顺义区
项目面积_
485平方米
投资金额_
275万元

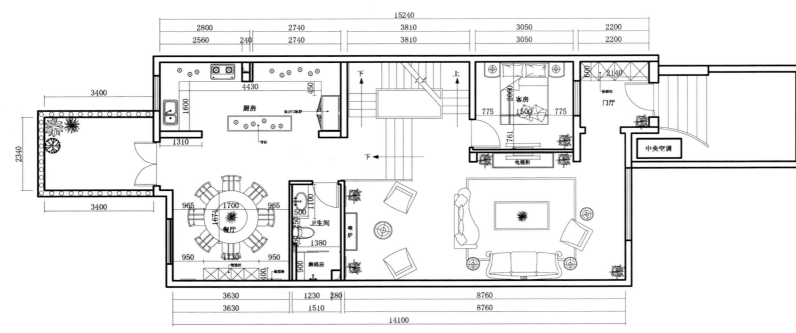

一层原始结构图

主案设计:
申彤 Shen Tong
博客:
http:// 1015651.china-designer.com
公司:
大连桐心空间装饰工程有限公司
职位:
总经理

项目:
大连白云山度假酒店
博览酒店

大连维多利亚庄园
Dalian Vitoria Manor

A 项目定位 Design Proposition
光线与空间,才是我们生活中真正奢侈的东西!简洁干净的欧式风格,符合业主的生活方式与身份特征。

B 环境风格 Creativity & Aesthetics
别墅依山傍海,室内环境宜居,室内与室外环境有机联系。力求做到更自然地过渡和融合,不让增建的部分影响到原来的建筑结构。

C 空间布局 Space Planning
我认为这种接近于白,但更柔和的颜色,看上去会让房间多一份安定感,不会搅得人心神不宁,可以衬托出生活中许多好风光。阳光明媚的时候和阴雨绵绵的时候,整个室内的色调完全不一样,浅色也是有层次变化的。通透流畅的房子,住着才舒服!

D 设计选材 Materials & Cost Effectiveness
应业主要求,大面积白色环保涂料。

E 使用效果 Fidelity to Client
完全达到业主预期。

Project Name_
Dalian Vitoria Manor
Chief Designer_
Shen Tong
Participate Designer_
Guan Xin
Location_
Dalian Liaoning
Project Area_
1,400sqm
Cost_
8,000,000RMB

项目名称_
大连维多利亚庄园
主案设计_
申彤
参与设计师_
关欣
项目地点_
辽宁省 大连市
项目面积_
1400平方米
投资金额_
800万元

平面图

主案设计：
温帅 Wen Shuai
博客：
http:// 1015777.china-designer.com
公司：
杭州洛卡装饰设计有限公司
职位：
设计总监

奖项：
2009年度19楼十佳室内设计作品；
2010年度天亿新锐设计师大奖赛 创意之星
2011年度都市快报第六届设计翡翠奖
2012年度都市快报第一届室内设计互动大奖
最佳空间运用奖

杭州桃花园
Hangzhou peach blossom garden

A 项目定位 Design Proposition
在古典与欧式设计中，大家把硬装做得非常复杂的时候，我们在追求把硬装做减法，在软装方面做更多的加法。

B 环境风格 Creativity & Aesthetics
西班牙元素与古典完美结合。

C 空间布局 Space Planning
在空间的处理更多的以人为本，动静更加分明。

D 设计选材 Materials & Cost Effectiveness
从环保角度出发，我们没有用过多的大理石等造价过高的材料，而采用乳胶漆及墙纸等。

E 使用效果 Fidelity to Client
主要针对年龄偏大的客户群体，要求稳重温馨的同时不失奢华端庄。

Project Name_
Hangzhou peach blossom garden
Chief Designer_
Wen Shuai
Participate Designer_
Wang Dong
Location_
Yuhang Hangzhou Zhejiang
Project Area_
350sqm
Cost_
1,200,000RMB

项目名称_
杭州桃花园
主案设计_
温帅
参与设计师_
王东
项目地点_
浙江省 杭州市 余杭区
项目面积_
350平方米
投资金额_
120万元

车库
储藏室
保姆房
弱电
下120
过道
上
玄关
高低
客厅
次卫
餐厅
厨房
起居室

平面图

主案设计：
王正东 Wang Zhengdong
公司：
阿拉奇设计工程有限公司
职位：
设计总监

奖项：
2008年中国室内设计大奖赛商业工程类"佳作奖"
2009年中国（武汉）国际建筑及室内设计节居住空间奖优秀奖
2009年武汉室内设计大赛"箭牌杯"室内设计大奖赛"十大设计师"称号。
2010年中国（上海）紫荆花杯最佳创作奖

2010年中国金堂奖最佳年度优秀设计作品奖
2010年武汉室内设计大赛获"十大设计师"称号
项目：
陈氏祖屋

陈氏祖屋
The Chen family ancestral temple

A 项目定位 Design Proposition
本案宗祠为三进院落四合院式布局，以徽派文化为载体，具有浓郁的岭南特色。

B 环境风格 Creativity & Aesthetics
主体建筑均为硬山顶，面宽进深各三间，抬梁与穿斗混合式梁架结构。梁托、爪柱、叉手、霸拳、雀替（明代为丁头拱）、斜撑等大多雕刻花纹、线脚。梁架构件的巧妙组合和装修使工艺技术与艺术手法相交融，达到了珠联璧合的妙境。

C 空间布局 Space Planning
本案的设计也正是从传统中式中获得灵感，注重空间的整体表现艺术，从人与自然的和谐统一出发，使整个环境的每个角落都能营造出气势恢宏、壮丽华贵、细腻大方的大家风范。

D 设计选材 Materials & Cost Effectiveness
室内设计摒弃了徽派单纯的黑与白给人的冷漠，融入了耀眼的皇家专有色系以及故宫的大气磅礴之势，将中国人的"贵"完美演绎。 祠内依然以木雕、石雕作为徽派文化的重要载体，继承其恢宏、华丽、壮美的特色。不论是古拙凝重的兽首柱脚，还是塑工精湛的石木雕凿，一砖一木一瓦都承载着中华厚重的历史文化。

E 使用效果 Fidelity to Client
中国文化的的精彩之处不仅在于他本身的博大与精深，更是在于他是后人用之不尽的资源；让人悠游其中不觉厌倦。

Project Name_
The Chen family ancestral temple
Chief Designer_
Wang Zhengdong
Location_
Xinzhou
Project Area_
300sqm
Cost_
800,000RMB

项目名称_
陈氏祖屋
主案设计_
王正东
项目地点_
新洲
项目面积_
300平方米
投资金额_
80万元

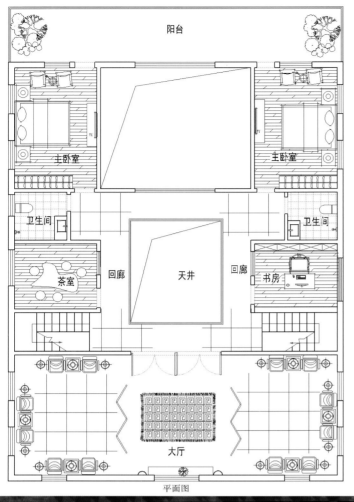

阳台

主卧室　　主卧室

卫生间　　卫生间

茶室　回廊　天井　回廊　书房

大厅

平面图

晓园

关山拱秀

图书在版编目（ＣＩＰ）数据

顶级别墅空间 / 金堂奖组委会编 . -- 北京 ：中国林业出版社，
2013.3（金设计系列）

ISBN 978-7-5038-6838-2

Ⅰ．①顶… Ⅱ．①金… Ⅲ．①别墅－室内装饰设计－作品集－世界－现代
Ⅳ．① TU241.1

中国版本图书馆 CIP 数据核字（2012）第 273982 号

本书编委会

组编：《金堂奖》组委会

编写：王 亮◎文 侠◎王秋红◎苏秋艳◎孙小勇◎王月中◎刘吴刚◎吴云刚◎周艳晶◎黄 希
朱想玲◎谢自新◎谭冬容◎邱 婷◎欧纯云◎郑兰萍◎林仪平◎杜明珠◎陈美金◎韩 君
李伟华◎欧建国◎潘 毅◎黄柳艳◎张雪华◎杨 梅◎吴慧婷◎张 钢◎许福生◎张 阳

整体设计：AGE 北京湛和文化发展有限公司
http://www.anedesign.com

中国林业出版社·建筑与家居出版中心

责任编辑：纪 亮、成海沛、李丝丝、李 顺
出版咨询：（010）83225283

出版：中国林业出版社
（100009 北京西城区德内大街刘海胡同 7 号）
网站：http://lycb.forestry.gov.cn
印刷：恒美印务（广州）有限公司
发行：新华书店北京发行所
电话：（010）8322 3051
版次：2013 年 3 月第 1 版
印次：2013 年 3 月第 1 次
开本：889mm×1194mm, 1/16
印张：12.75
字数：180 千字
定价：188.00 元

图书下载：凡购买本书，与我们联系均可免费获取本书的电子图书。
E-MAIL: chenghaipei@126.com   QQ: 179867195